남북한 유엔 가입

국내 절차 진행 1

남북한 유엔 가입

국내 절차 진행 1

| 머리말

  유엔 가입은 대한민국 정부 수립 이후 중요한 숙제 중 하나였다. 한국은 1949년을 시작으로 여러 차례 유엔 가입을 시도했으나, 상임이사국인 소련의 거부권 행사에 번번이 부결되고 말았다. 북한도 마찬가지로, 1949년부터 유엔 가입을 시도했으나 상임이사국들의 반대에 매번 가로막혔다. 서로가 한반도의 유일한 합법 정부라 주장하는 당시 남북한은 어디까지나 상대측을 배제하고 단독으로 유엔에 가입하려 했으며, 이는 국제적인 냉전 체제와 맞물려 어느 쪽도 원하는 바를 성취하지 못하게 만들었다. 하지만 1980년대를 지나며 냉전 체제가 이완되면서 변화가 생긴다. 한국은 북방 정책을 통해 국제적 여건을 조성하고, 남북한 고위급 회담 등에서 남북한 유엔 동시 가입 등을 강력히 설득한다. 이런 외교적 노력이 1991년 열매를 맺어, 제46차 유엔총회를 통해 한국과 북한은 유엔 회원국이 될 수 있었다.

  본 총서는 외교부에서 작성하여 30여 년간 유지한 남북한 유엔 가입 관련 자료를 담고 있다. 한국의 유엔 가입 촉구를 위한 총회결의한 추진 검토, 세계 각국을 대상으로 한 지지 교섭 과정, 국내외 실무 절차 진행, 채택 과정 및 향후 대응, 관련 홍보 및 언론 보도까지 총 16권으로 구성되었다. 전체 분량은 약 8천 쪽에 이른다.

2024년 3월
한국학술정보(주)

| 일러두기

· 본 총서에 실린 자료는 2022년 4월과 2023년 4월에 각각 공개한 외교문서 4,827권, 76만 여 쪽 가운데 일부를 발췌한 것이다.

· 각 권의 제목과 순서는 공개된 원본을 최대한 반영하였으나, 주제에 따라 일부는 적절히 변경하였다.

· 원본 자료는 A4 판형에 맞게 축소하거나 원본 비율을 유지한 채 A4 페이지 안에 삽입 하였다. 또한 현재 시점에선 공개되지 않아 '공란'이란 표기만 있는 페이지 역시 그대로 실었다.

· 외교부가 공개한 문서 각 권의 첫 페이지에는 '정리 보존 문서 목록'이란 이름으로 기록물 종류, 일자, 명칭, 간단한 내용 등의 정보가 수록되어 있으며, 이를 기준으로 0001번부터 번호가 매겨져 있다. 이는 삭제하지 않고 총서에 그대로 수록하였다.

· 보고서 내용에 관한 더 자세한 정보가 필요하다면, 외교부가 온라인상에 제공하는 『대한 민국 외교사료요약집』 1991년과 1992년 자료를 참조할 수 있다.

| 차례

정 리 보 존 문 서 목 록					
기록물종류	일반공문서철	등록번호	2020110100	등록일자	2020-11-20
분류번호	731.12	국가코드		보존기간	영구
명　칭	남북한 유엔가입, 1991.9.17. 전41권				
생 산 과	국제연합1과	생산년도	1990~1991	담당그룹	
권 차 명	V.20 한국의 유엔가입 국내절차 진행 I, 1990.11월-91.6.15				
내용목차	* 유엔헌장 및 국제사법재판소규정 가입 국내절차 진행 * 1945.6.26　유엔헌장 및 국제사법재판소(ICJ) 규정 채택 * 1945.10.24 발효 * 1991.6.13　국무회의 심의 * 1991.7.13　국회동의 * 1991.8.5　　수락서 기탁 * 1991.9.18　한국에 대하여 발효(조약 제1059호)				

0001

報 告 畢

長 官 報 告 事 項

1990. 11. 22.

國際機構條約局
國際聯合課 (73)

題 目 : 유엔加入 關聯 國內節次 問題

유엔加入 申請과 관련, 유엔憲章 受諾을 위한 國務會議 審議, 國會
批准 동의등 國內節次 問題에 관하여 아래와 같이 報告드립니다.

1. 유엔加入에 관한 國內節次

가. 國務會議 審議

ㅇ 憲法 第 89條 (條約案은 國務會議의 審議를 거쳐야 함)에 의거
유엔加入 (유엔憲章 受諾)은 國務會議를 거쳐야 함.

나. 國會 批准 동의

ㅇ 또한 유엔憲章은 憲法 第 60條에 規定한 "重要한 國際組織에 관한
條約"에 해당되므로 國會의 批准동의를 거쳐야 함.

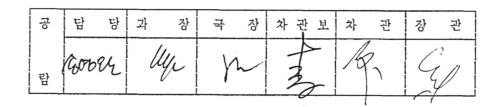

공 람	담 당	과 장	국 장	차 관 보	차 관	장 관
	1600022					

검 토 필 (1991. 6. 30)

0002

2. 國內節次에 관한 考慮事項

가. 所要 時間上의 考慮

　　○ 國務會議 審議와 國會의 批准同意를 받는데는 通常 2-3개월이
　　　소요될 것임.

3. 國內節次 施行 時期上의 檢討意見

가. 南.北韓間에 유엔同時加入에 관한 合意 도달시

　　○ 南北韓間의 合意와 同時에 國內節次를 施行토록 함.

나. 單獨加入 推進時

　　○ 第1案 ： 單獨加入 推進前 國內節次를 취함.

　　　- 長點 ： 北側에 대해 우리의 確固한 加入推進 意思를 밝힘으로써
　　　　　　　北韓의 立場變化를 誘導하는 强力한 방편이 될수 있음.

　　　- 短點 ： 國內節次 施行過程에서 유엔加入問題가 國內 主要懸案
　　　　　　　으로 撞頭됨을 利用, 北韓은 對南 國論分裂戰略에
　　　　　　　總力을 기울일 것임.

　　○ 第2案 ： 安保理 勸告決議의 採擇후 (總會 加入決議 以前) 國內節次를
　　　　　　　취함.

0003

- 長點 : 安保理 勸告決議 採擇과 同時에 我國의 유엔加入이 거의 確實視 되므로, 我側이 國內節次를 취하는 期間중 同時 加入을 위하여 유엔加入申請을 내도록 北韓을 誘導할 수 있을 것임.

- 短點 : 我國의 유엔加入 申請이 不可避하게 유엔總會 開會 直前 또는 開會중에 이루어질 경우, 國內節次를 취할 時間的인 여유가 없을 可能性이 있음.

添 附 : 1. 他國의 유엔加入 관련 國內措置 例 (서독, 일본)
        2. 我國의 主要 國際機構 加入時 國內節次 施行事例. 끝.

일반

0004

1. 타국의 예 (서독, 일본)

가. 서 독

  ㅇ 1973.6.6. "서독의 유연현장 가입에 관한 법률"(Law Relating to the Accession of the FRG to the Charter of the UN) 서독의회 통과

  ㅇ 1973.6.13. 유연가입 신청

  ㅇ 1973.9.18. 유연가입

나. 일 본

  ㅇ 1952.3.30. 내각, 유연가입 결정

    6.4. 국회 승인

    6.23. 유연가입 신청

  ㅇ 1956.12.18. 유연가입

2. 아국의 주요 국제기구 가입사례

기 구 명	국회 비준동의	가 입
WHO	49. 5. 22.	49.6.30. 총회, 한국가입 승인 49.8.17. 수락서 기탁
UNESCO	50. 11. 8. (사후)	50.6.14. 수락서 기탁
WMO	55. 12. 9.	56.2.15. 가입서 기탁
* ICAO	57. 2. 4. (사후)	52.11.11. 가입서 기탁
IAEA	57. 6. 17.	57.8.8. 가입서 기탁

* ICAO 가입 국회 동의관련, 정부는 56.10.10.자 민의원의장 앞 대통령 명의 공문을 통하여 사무착오로 국회비준 동의를 사후에 요청케 됨을 설명함. 이에 대하여 민의원은 57.2.4.자 대통령 앞 민의원의장 명의 공문으로 비준 동의함을 정부에 통보함.

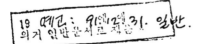

유엔가입에 따른 국내절차문제

90.11.14.
조 약 과

1. 문 제 점 : 유엔가입신청이전 유엔헌장 수락을 위한 국무회의 심의,
   국회비준동의 필요여부

2. 검토내용

   가. 유엔헌장은 헌법 제60조상의 '중요한 국제조직에 관한 조약'에
       해당되므로 국회비준동의 필요

   나. 아국의 주요 국제조직 가입사례

기구명	국회비준동의	가 입
WHO	49. 5.22.	49. 6.30. 총회, 한국가입승인 49. 8.17. 수락서 기탁
UNESCO	50.11. 8.(사후)	50. 6.14. 수락서 기탁
WMO	55.12. 9.	56. 2.15. 가입서 기탁
ICAO	57. 2. 4.(사후)	52.11.11. 가입서 기탁
IAEA	57. 6.17.	57. 8. 8. 가입서 기탁

   다. 일본의 유엔가입절차

   o 52. 3.20. 내각, 유엔가입 결정

          6. 4. 국회승인

          6.23. 유엔가입신청

   o 56.12.18. 유엔가입

         12.19. 국내공포조치. 끝.

유엔가입절차 요약

91. 4. 16.
국제연합과

1. 가입신청방식

o 아국 유엔가입문제는 최초로 유엔가입을 신청한 49.1.19. 이래 안보리에
계류중임. 따라서 아국은 i) 유엔사무총장에게 유엔가입문제 재심청구서
제출, ii) 유엔사무총장에게 가입신청서 재제출, iii) 우방국에 의한 아국
가입문제 재심 결의안 안보리 제출방식중 한가지를 택하여 유엔가입을
신청할 수 있음. (북한의 유엔가입문제도 49.2.9. 이래 안보리에 계류중)

참고   안보리는 특정안건에 대한 심의를 완료했다고 결정하지 않는한
계속 계류중인 것으로 간주함. (현재까지 안보리가 심의완료를
선언한 경우는 거의 없음)

2. 신청시기

o 유엔안보리 의사규칙 제59조에 의하면, 신규회원가입은 정기총회 개시
35일전까지 안보리 가입심사위원회가 가입 신청을 심사, 안보리에 보고
하도록 규정하고 있음.

o 또한 제60조에 의하면 안보리는 가입신청에 대한 권고를 정기 총회개시
25일전에 총회에 제출해야 하나 특별한 경우(in special circumstances)
에는 상기 60조의 적용을 배제(Waiver)할 수 있다는 예외조항을 포함하고
있음.

0007

3. 가입신청 시한 문제

- 안보리 의사규칙 60조의 예외조항은 1975-84년 기간중 10개국의 가입신청
  심의시 이미 원용된 바 있음. 즉, 안보리의 권고결의안의 총회 회부시한
  적용이 배제됨.

- 특히 제45차 총회(1990)부터는 총회 회기가 정기총회기간(통상 9-12월)과는
  무관하게 차기총회 개막직전까지 계속되는 것으로 간주됨에 따라 안보리 의사
  규칙 60조의 적용에 따른 시한상의 제약은 상대적으로 감소됨.

- 단, 가입신청시한문제가 안보리에서 강력히 제기될 경우 60조 적용여부
  자체를 표결에 부치게 될 것인바, 이 경우는 절차문제로 간주되어 단순
  9개국 찬성으로 결정됨. (거부권 불인정)

4. 가입신청의 안보리의제 채택

- 안보리의장은 가입신청서 또는 우방국의 가입문제 관련 결의안을 접수하면
  안보리에 회부하여, 동 문제를 안보리 의제로 채택할지 여부를 consensus
  또는 표결로 채택함. (표결시 단순 9개국 찬성으로 의제 채택 결정)

- 안보리의제 채택시 안보리의장은 안보리 가입심사위원회에 동 가입 문제를
  심의토록 회부함.

5. 안보리 가입심사위원회 심의

- 가입심사위원회에서는 가입신청의 안보리 회부여부를 콘센서스로 채택함이
  일반적이나, 반대국이 있을 경우, 단순 9개국 찬성으로 안보리 회부를
  결정함. (거부권 불인정)

0008

6. 안보리 가입권고 결의 채택

o 안보리는 가입신청국이 평화애호국이며 헌장상 의무를 수행할 능력과
  의사가 있는가 여부를 판단하고, 가입권고 여부를 상임이사국 5개국을
  포함한 9개국 찬성으로 결의하여 총회개시 25일전에 안보리 토의기록
  (권고하지 않을 경우에는 특별보고서)과 함께 총회에 송부함. (거부권 인정)

7. 총회의 안보리 권고안 심의 및 가입결의안 채택

o 안보리의 권고에 따라 총회는 가입신청국이 평화애호국이고 헌장상
  의무를 이행할 능력과 의사가 있는지 여부를 검토하고, 가입신청국의
  유엔가입에 관한 총회결의안에 대해 표결, 투표결과 총투표국의 2/3
  다수 획득시 가입 확정

8. 안보리 및 총회 표결관련 참고사항

o 안보리 및 총회에서의 표결시에는 참석하여 투표한 국가(present and
  voting states)의 투표를 기준으로 하는 바, 불참국, 기권국은 투표국
  으로 간주치 않음. (안보리 상임이사국의 경우도 불참 또는 기권시
  Veto 행사로서 인정되지 않음)

0009

長 官 報 告 事 項

1991. 5. 25.
國際機構條約局
條 約 課 (2)

제 목: 유엔가입에 필요한 國內法的節次 推進計劃

유엔加入 申請要件인 유엔憲章상 義務受諾을 위하여는

憲法規定상 國務會議審議 및 國會同意등의 節次完了가 필요

---

1. 유엔憲章상 加入規定(제4조)

   o 가입자격: 유엔헌장상의 의무를 수락하는 平和愛好國

   o 가입절차: 安保理 勸告에 따른 總會의 決定

2. 유엔加入節次

   o 유엔헌장상, 유엔 原회원국의 경우 憲章署名 및 批准節次를 규정
      하고 있으나(제3조), 新회원국의 경우 憲章受諾 절차에 관한 명시
      규정無

   o 유엔가입 신청시 가입신청서와 함께 헌장의무 수락 선언서
      (declaration)를 제출함이 일반관례.
      - 아국, 49.1., 51.12. 가입신청시 헌장수락 선언서 제출
      - 75.9. 신청시는 가입신청서 내용상 헌장수락 의사를 명시

   o 총회의 가입결정시점부터 헌장준수의무 발생

0010

3. 유연헌장 수락을 위한 국내법적요건 및 문제점

　가. 요건

　　o 유연가입을 위한 헌장수락(헌장에 부속된 ICJ규정 포함)은
　　　다자조약 가입에 해당되므로 헌법규정상 국무회의 심의 및
　　　국회의 헌장수락동의 절차완료 필요

　　【관련규정】

　　　- 중요국제조직에 관한 조약의 체결, 비준에 대한 국회동의권
　　　　(제60조)

　　　- 조약안에 대한 국무회의심의 (제89조)

　나. 문제점

┌───┐
│ 유연헌장 수락을 위한 국내절차중 국회동의 완료시점 │
└───┘

　《제1안》

　✓o 국회동의후 가입신청서 안보리제출, 총회의 가입 결정후
　　　유연헌장 국내공포조치

　　　- 국내법상 절차적 欠缺無 및 일본의 가입 先例

　o 현 국내여건상 시행에 난점

　《제2안》

　o 국무회의심의 및 대통령재가후 가입신청서 제출, 안보리권고후
　　총회결정시까지의 기간동안 국회동의 획득

　　　- 49년 및 51년 事例(헌장의무 수락선언서에 국무회의 의결사실 명기)

　　　- 국내법상 절차적 欠缺論難이 있을 수 있으나 유네스코(50년)
　　　　및 ICAO 가입(57년)시 事後 국회동의 先例

　o 헌장수락동의안 처리를 위한 임시국회소집 필요성 不無

0011

4. 향후 추진계획(案)

　　o　현 국내여건상 第2案 채택

　　o　추진日程

　　┌─────────────────────────┐
　　│ 7월 초순 국무회의 비공개상정 │
　　└─────────────────────────┘

업　　무	완료시기	비　　고
① 유엔헌장 및 ICJ 규정 국문번역	5.31.	조약과, 국제법규과
② 관계부처 실무 회의 개최 및 부처간 합의	6.15.	유관부서: 22개 부처 (별첨참조)
③ 법제처 심사	6.28.	
④ 국무회의 심의	7. 4.	
⑤ 대통령 재가	7.18.	

0012

(첨부)

유엔헌장 수락 관계부처 및 해당조항

I. 관계부처(총 22개)

- ㅇ 안보 및 치안담당부처(3개): 국가안전기획부, 국방부, 내무부
- ㅇ 경제부처(7개): 경제기획원, 재무부, 농림수산부, 상공부,
  동력자원부, 건설부, 과학기술처
- ㅇ 사회.문화부처(8개): 법무부, 교육부, 문화부, 체육청소년부,
  보건사회부, 노동부, 환경처, 국가보훈처
- ㅇ 기타부처(4개): 교통부, 체신부, 국토통일원, 공보처

II. 관계부처별 유엔헌장 해당조항

1. 국가안전기획부, 국방부, 내무부 등 안보 및 치안담당부처 관련조항
   - ㅇ 제1조 1호: 유엔의 목적(국제평화와 안전의 유지)
   - ㅇ 제11조: 총회의 임무와 권한(국제평화와 안전의 유지에 관한 조치)
   - ㅇ 제7장(제39조 내지 제51조): 평화에 대한 위협, 평화의 파괴, 침략
     행위 등에 대한 안전보장이사회의 조치

2. 경제기획원, 재무부, 농림수산부, 상공부, 동력자원부, 건설부,
   과학기술처 등 경제부처 관련조항
   - ㅇ 제1조 3호: 유엔의 목적(경제분야 국제협력달성)
   - ㅇ 제13조: 총회의 임무와 권한(경제분야 국제협력촉진에 관한 권고)
   - ㅇ 제41조: 안전보장이사회의 조치(국제평화와 안전의 유지를 위한
     경제관계의 단절등 비군사적 강제조치)
   - ㅇ 제55조: 국제평화에 필요한 안정과 복지의 조건을 창조하기 위한
     경제적 국제협력 촉진
   - ㅇ 제62조: 경제사회이사회의 임무와 권한(경제문제에 관한 권고)

0013

3. 법무부, 교육부, 문화부, 체육청소년부, 보건사회부, 노동부,
   환경처, 국가보훈처 등 사회·문화분야부처 관련조항

   o 제1조 3호: 유엔의 목적(사회·문화·인도적 문제의 해결 및 인권
                  존중을 촉진하기 위한 국제협력)

   o 제13조: 총회의 임무와 권한(사회·문화·교육·보건·인권 등
                  분야에 있어서 국제협력추진)

   o 제55조: 국제평화에 필요한 안정과 복지의 조건을 창조하기 위한
                  사회·문화·교육·보건·인권분야 협력

   o 제62조: 경제사회이사회의 임무와 권한(사회·문화·교육·보건·인권
                  문제에 관한 권고)

   o 제14장(제92조 내지 제96조):   국제사법재판소에 관한 규정(법무부)

4. 교통부 및 체신부 관련조항

   o 제41조: 안전보장이사회의 조치(국제평화와 안전의 유지를 위한
                  교통통신수단의 단절등 비군사적 강제조치)

5. 국토통일원 및 공보처 관련조항(통일정책관련)

   o 제1조 2호: 유엔의 목적(민족자결의 원칙을 기초로 세계평화의
                  강화를 위한 조치)

   o 제 2조: 회원국의 행동원칙(주권평등, 분쟁의 평화적 해결,
                  영토보전)

   o 제13조: 총회의 임무와 권한(정치적 분야에서의 국제협력촉진에
                  관한 권고)

0014

발 신 전 보

분류번호	보존기간

번   호 : WUN-1505   910528 1642 FN   종별 : _____

수   신 : 주 유 엔   대사. 총영사

발   신 : 장 관 (조 약)

제   목 : 국제연합헌장

　　　　본부 조약업무에 필요하니 유엔헌장집 및 ICJ 규정 각 3부를 구입,
파편 조속 송부바람. (조약심의관 이봉구)

보 안 통 제	

앙고재	91년 5월 28일	조약과	기안자 성명 민경호		과 장	심의관 전결	국 장		차 관	장 관	외신과통제

0015

주 국 련 대 표 부   김

민

주국련   429   1991. 5. 28.

수신 장관

참조 국제기구조약국장

제목 책자 송부

대 : WUN-1505

대호, 유엔헌장집 (ICJ 규정 포함) 3권을 별첨 송부합니다.

첨 부 : 동책자 3권. 끝.

공람	조약과	기안 6 인	담 당	과 장	심의관	국 장
				신		

주   국   련   대

선 결			결재		
접수	1991. 6. 3	편호			
처리과	배정인	31051			

0016

기 안 용 지

(전화 :   )

분류기호 문서번호	조약20411-		시 행 상 특별취급	
보존기간	영구·준영구. 10. 5. 3. 1.	장		관
수신처 보존기간				
시행일자	1991.5.30.			

보 조 기 관	국 장	전 결	협 조 기 관	국제연합과장		문 서 통 제	경 유 1991.5.31
	심의관						
	과 장			국제법규과장			
기안책임자		민경호				발 송 인	

경 유 수 신 참 조	수신처 참조	발 신 명 의		접수 1991.5.31
제 목	국제연합헌장 수락에 관한 관계부처 실무회의			

　　1. 당부는 금년중 우리나라의 국제연합 가입 방침에 따라

국제연합헌장(국제사법재판소규정 포함) 수락을 위한 국내절차(국무회의

심의 및 국회동의)를 추진중에 있습니다.

　　2. 상기관련, 국제연합헌장 수락문제에 대한 관계부처 실무

회의를 아래와 같이 개최하고자 하니 귀부 관계관이 필히 참석할 수

있도록 협조하여 주시기 바랍니다.

- 아　　　　　래 -

　　ㅇ 일　시: 91.6.4.(화) 15:00

0017

1505-25(2-1) 일(1)갑
85. 9. 9. 승인　　"내가아낀 종이 한장 늘어나는 나라살림"

190mm×268mm 인쇄용지 2급 60g/㎡
가 40-41 1990. 5. 28

o 장   소 : 외무부 회의실(810호)

o 회의주재 : 외무부 조약심의관

o 의   제 : 별첨자료 참조

첨부 : 1. 토의의제

2. 국제연합헌장(국문번역본 및 영문)

3. 국제사법재판소규정("   ). 끝.

수신처 : 경제기획원장관(법무 담당관), 국토통일원장관(법무 담당관),

법무부 장관(국제법무 심의관), 국방부 장관(법무 관리관)

0018

1505-25(2-2) 일(1)을 "내가아낀 종이 한장 늘어나는 나라살림"   190mm×268mm 인쇄용지 2급 60g/㎡
85. 9. 9. 승인   가 40-41 1990. 5. 28

(첨부 1)

토 의 의 제

1. 토의의제(각부처 해당사항)

　가. 경제기획원

　　o 관련헌장규정 : 제1조 3호, 제13조, 제41조, 제55조, 제62조
　　o 주요검토사항 : 제41조에 의한 안전보장이사회의 경제제재조치
　　　　　　　　　　결정의 이행상 국내법적 문제점 유무

　나. 국토통일원

　　o 관련헌장규정 : 제1조 2호, 제2조, 제13조
　　o 주요검토사항 : 통일정책과 관련, 민족자결원칙·주권평등·분쟁의
　　　　　　　　　　평화적해결·영토보전원칙 등 국제연합의 기본
　　　　　　　　　　원칙 수락시 국내법적 문제점 유무

　다. 법무부

　　o 관련헌장규정 : 제1조 3호, 제13조, 제55조, 제62조, 제14장
　　　　　　　　　　(제92조 내지 제96조)
　　o 주요검토사항 : 제14장의 국제사법재판소(ICJ)의 관할권 수락시
　　　　　　　　　　법적 문제점 유무
　　　　　　　　　　- ICJ의 강제관할권에 관한 ICJ규정 제36조 2항
　　　　　　　　　　(선택조항) 수락문제등

　라. 국방부

　　o 관련헌장규정 : 제1조 1호, 제11조, 제7장(제39조 내지 제51조)
　　o 주요검토사항 : 제11조에 의한 총회의 권고 및 제7장(제39조 내지
　　　　　　　　　　제51조)에 의한 안전보장이사회의 군사적 제재조치
　　　　　　　　　　권고의 수락 및 이행상 국내법적 문제점 유무

0019

2. 참고사항

o 국제연합 가입 신청요건인 국제연합 헌장상 의무수락(헌장에 부속된
ICJ규정 포함)은 다자조약 가입에 해당되므로 헌법규정상 국무회의
심의 및 국회의 헌장수락 동의가 필요

【국제연합헌장 관련규정】
- 가입자격 : 국제연합헌장상의 의무를 수락하는 평화애호국
(제4조 1항)
- 가입절차 : 안전보장이사회 권고에 따른 총회의 결정
(제4조 2항)
- ICJ관련사항 : ICJ규정은 이 헌장의 불가분의 일부를 구성
(제92조)
※ 안전보장이사회 의사규칙 제58조 : 국제연합 가입신청서
제출시 국제연합헌장상 의무수락선언서(declaration)도
함께 제출필요

【헌법 관련규정】
- 중요국제조직에 관한 조약의 체결.비준에 대한 국회동의권 (제60조)
- 조약안에 대한 국무회의 심의(제89조)

- 끝 -

0020

대 한 민 국
외 무 부

(720-2337)   1991. 5. 31.

조약 20411-

수신 수신처 참조

제목 국제연합헌장 수락에 관한 관계부처 실무회의

  1. 당부는 금년중 우리나라의 국제연합 가입방침에 따라 국제연합
헌장(국제사법재판소규정 포함) 수락을 위한 국내절차(국무회의 심의 및
국회동의)를 추진중에 있습니다.

  2. 상기관련, 국제연합헌장 수락문제에 대한 관계부처 실무회의를
아래와 같이 개최하고자 하니 귀부 관계관이 필히 참석할 수 있도록 협조하여
주시기 바랍니다.

                   - 아   래 -

    O 일   시: 91.6.4.(화) 15:00
    O 장   소: 외무부 회의실(810호)
    O 회의주재: 외무부 조약심의관
    O 의   제: 별첨자료 참조

첨부: 1. 토의의제

      2. 국제연합헌장(국문번역본 및 영문)

      3. 국제사법재판소규정(″   ). 끝.

              외   무   부   장   관

              ┌─────────────────┐
              │ 국제기구조약국장 전결 │
              └─────────────────┘

수신처: 경제기획원장관(법무담당관), 국토통일원장관(법무담당관),
        법무부장관(국제법무심의관), 국방부장관(법무관리관)   0021

국제연합헌장

우리 연합국 국민들은

우리 일생중에 두번이나 말할 수 없는 슬픔을 인류에 가져온 전쟁의 불행에서 다음세대를 구하고,

기본적 인권, 인간의 존엄 및 가치, 남녀 및 대소 각국의 평등권에 대한 신념을 재확인하며,

정의와 조약 및 기타 국제법의 연원으로부터 발생하는 의무에 대한 존중이 계속 유지될 수 있는 조건을 확립하며, 그리고

더 많은 자유속에서 사회적 진보와 생활수준의 향상을 촉진할 것을 결의하였다.

그리고 이러한 목적을 위하여

관용을 실천하고 선량한 이웃으로서 상호간 평화롭게 같이 생활하며,

국제평화와 안전을 유지하기 위하여 우리들의 힘을 합하며,

공동이익을 위한 경우 이외에는 무력을 사용하지 아니한다는 것을, 원칙의 수락과 방법의 설정에 의하여, 보장하고, 그리고

모든 국민의 경제적 및 사회적 발전을 촉진하기 위하여 국제기관을 이용한다는 것을 결의하면서,

이러한 목적을 달성하기 위하여 우리의 노력을 결집할 것을 결정하였다.

따라서, 우리 각자의 정부는, 샌프란시스코에 모인, 유효하고 타당한 것으로 인정된 전권위임장을 제시한 대표를 통하여, 이 국제연합헌장에 동의하고, 국제연합이라는 국제기구를 이에 설립한다.

0022

제 1 장
목적과 원칙

제 1 조

국제연합의 목적은 다음과 같다.

1.   국제평화와 안전을 유지하며, 이를 위하여 평화에 대한 위협의 방지와 제거 그리고 침략행위 또는 기타 평화의 파괴를 진압하기 위한 유효한 집단적 조치를 취하며 그리고 평화의 파괴로 이를 우려가 있는 국제적 분쟁 또는 사태의 조정 또는 해결을 평화적 수단에 의하여 또한 정의 및 국제법의 원칙에 따라 실현하는것.

2.   사람들의 평등권 및 자결의 원칙의 존중에 기초하여 국가간의 우호관계를 발전시키며, 세계평화를 강화하기 위한 기타 적절한 조치를 취하는것.

3.   경제적, 사회적, 문화적 또는 인도적 성격의 국제문제를 해결하고 또한 인종, 성별, 언어 또는 종교에 따른 차별없이 모든 사람의 인권 및 기본적 자유에 대한 존중을 촉진하고 장려함에 있어 국제적 협력을 달성하는것.

4.   이러한 공동의 목적을 달성함에 있어서 각국의 활동을 조화시키는 중심이 되는것.

제 2 조

이 기구 및 그 회원국은 제1조에 명시한 목적을 추구함에 있어서 다음의 원칙에 따라 행동한다.

1.   이 기구는 모든 회원국의 주권평등 원칙에 기초한다.

2.   모든 회원국은 회원국의 지위에서 발생하는 권리와 이익을 그들 모두에 보장하기 위하여, 이 헌장에 따라 부과되는 의무를 성실히 이행한다.

0023

3. 모든 회원국은 그들의 국제분쟁을 국제평화와 안전 그리고 정의를 위태롭게 하지 아니하는 방식으로 평화적 수단에 의하여 해결한다.

4. 모든 회원국은 그 국제관계에 있어서 타 국가의 영토보전 또는 정치적 독립에 대하여 혹은 국제연합의 목적과 양립하지 아니하는 어떠한 기타 방식으로도 무력의 위협이나 무력행사를 삼가한다.

5. 모든 회원국은 국제연합이 이 헌장에 따라 취하는 어떠한 조치에 있어서도 모든 원조를 다하며, 국제연합이 방지조치 또는 강제조치를 취하는 대상이 되는 어떠한 국가에 대하여도 원조를 삼가한다.

6. 이 기구는 국제연합의 회원국이 아닌 국가가, 국제평화와 안전을 유지하는데 필요한 한, 이러한 원칙에 따라 행동하도록 확보한다.

7. 이 헌장의 어떠한 규정도 본질상 어떤 국가의 국내 관할권내에 있는 사항에 간섭할 권한을 국제연합에 부여하지 아니하며, 또는 그러한 사항을 이 헌장에 의한 해결에 맡기도록 회원국에 요구하지 아니한다. 단, 이 원칙은 제7장에 의거한 강제조치의 적용을 저해하지 아니한다.

제 2 장
회원국의 지위

제 3 조

국제연합의 원회원국은, 샌프란시스코에서 국제기구에 관한 연합국 회의에 참가한 국가 또는 1942년 1월 1일의 연합국 선언에 서명한 국가로서, 이 헌장에 서명하고 제110조에 따라 이를 비준한 국가이다.

제 4 조

1. 국제연합의 회원국 지위는 이 헌장에 규정된 의무를 수락하고, 이러한 의무를 이행할 능력과 의사가 있다고 기구가 판단하는 여타 평화애호국 모두에 개방된다.

2. 그러한 국가의 국제연합 회원국으로의 승인은 안전보장이사회의 권고에 따라 총회의 결정에 의하여 이루어진다.

제 5 조

안전보장이사회에 의하여 취하여지는 방지조치 또는 강제조치의 대상이 되는 국제연합회원국에 대하여는 총회가 안전보장이사회의 권고에 따라 회원국으로서의 권리와 특권의 행사를 정지시킬 수 있다. 이러한 권리와 특권의 행사는 안전보장이사회에 의하여 회복될 수 있다.

제 6 조

이 헌장에 규정된 원칙을 집요하게 위반하는 국제연합회원국은 총회가 안전보장이사회의 권고에 따라 기구로부터 제명할 수 있다.

제 3 장
기   관

제 7 조

1. 국제연합의 주요기관으로서 총회, 안전보장이사회, 경제사회이사회, 신탁통치이사회, 국제사법재판소 및 사무국을 설치한다.

2. 필요하다고 인정되는 보조기관은 이 헌장에 따라 설치될 수 있다.

0025

제 8 조

국제연합은 남녀가 어떠한 능력으로서든 그리고 평등의 조건으로 그 주요기관 및 보조기관에 참가할 자격이 있음에 대하여 어떠한 제한도 가하지 아니한다.

제 4 장
총 회

구성

제 9 조

1. 총회는 모든 국제연합회원국으로 구성된다.

2. 각 회원국은 총회에 5명이하의 대표를 가진다.

임무 및 권한

제 10 조

총회는 이 헌장의 범위내에 있거나 또는 이 헌장에 규정된 어떠한 기관의 권한 및 임무에 관한 어떠한 문제 또는 어떠한 사항도 토의할 수 있으며, 그리고 제12조에 규정된 경우를 제외하고는, 그러한 문제 또는 사항에 관하여 국제연합회원국 또는 안전보장이사회 또는 이 양자에 대하여 권고할 수 있다.

제 11 조

1. 총회는 국제평화와 안전의 유지에 있어서의 협력의 일반원칙을, 군비축소 및 군비규제를 규율하는 원칙도 포함하여, 심의하고, 그러한 원칙과 관련하여 회원국 또는 안전보장이사회 또는 이 양자에 대하여 권고할 수 있다.

2. 총회는 국제연합회원국 또는 안전보장이사회 또는 제35조 제2항에 따라 국제연합회원국이 아닌 국가에 의하여 총회에 부탁된 국제평화와 안전의

0026

유지에 관한 어떠한 문제도 토의할 수 있으며, 제12조에 규정된 경우를 제외하고는 그러한 문제와 관련하여 1 또는 그 이상의 관계국 또는 안전보장이사회 또는 이 양자에 대하여 권고할 수 있다. 그러한 문제로서 조치를 필요로 하는 것은 토의의 전 또는 후에 총회에 의하여 안전보장이사회에 회부된다.

3. 총회는 국제평화와 안전을 위태롭게 할 우려가 있는 사태에 대하여 안전보장이사회의 주의를 환기할 수 있다.

4. 이 조에 규정된 총회의 권한은 제10조의 일반적 범위를 제한하지 아니한다.

제 12 조

1. 안전보장이사회가 어떠한 분쟁 또는 사태와 관련하여 이 헌장에서 부여된 임무를 수행하고 있는 동안에는 총회는 이 분쟁 또는 사태에 관하여 안전보장이사회가 요청하지 아니하는 한 어떠한 권고도 하지 아니한다.

2. 사무총장은 안전보장이사회가 다루고 있는 국제평화와 안전의 유지에 관한 어떠한 사항도 안전보장이사회의 동의를 얻어 매 회기중 총회에 통고하며, 또한 사무총장은, 안전보장이사회가 그러한 사항을 다루는 것을 중지한 경우, 즉시 총회 또는 총회가 회기중이 아닐 경우에는 국제연합회원국에 마찬가지로 통고한다.

제 13 조

1. 총회는 다음의 목적을 위하여 연구를 발의하고 권고한다.
    가. 정치적 분야에 있어서 국제협력을 촉진하고, 국제법의 점진적 발달 및 그 법전화를 장려하는 것

0027

나. 경제적, 사회적, 문화적, 교육적 및 보건적 분야에 있어서 국제
협력을 촉진하며 그리고 인종, 성별, 언어 또는 종교에 관한 차별
없이 모든 사람을 위하여 인권 및 기본적 자유를 실현하는데
있어 원조하는 것

2. 전기 제1항 나에 언급된 사항에 관하여 총회의 추가적 책임, 임무 및
권한은 제9장과 제10장에 규정된다.

제 14 조

제12조 규정을 따를 것을 조건으로, 총회는, 그 원인에 관계없이, 일반적
복지 또는 국가간의 우호관계를 해할 우려가 있다고 인정되는 어떠한 사태에
대하여도 이를 평화적으로 조정하기 위한 조치를 권고할 수 있다. 이 사태에는
국제연합의 목적 및 원칙을 정한 이 헌장규정의 위반으로부터 발생하는 사태도
포함된다.

제 15 조

1. 총회는 안전보장이사회로부터 연례보고와 특별보고를 받아 심의한다.
이 보고는 안전보장이사회가 국제평화와 안전을 유지하기 위하여 결정하거나
또는 취한 조치의 설명을 포함한다.

2. 총회는 국제연합의 타기관으로부터 보고를 받아 이를 심의한다.

제 16 조

총회는 제12장과 제13장에 의하여 부과된 국제신탁통치제도에 관한 임무를
수행한다. 이 임무는 전략지역으로 지정되지 아니한 지역에 관한 신탁통치
협정의 승인을 포함한다.

0028

제 17 조

1. 총회는 이 기구의 예산을 심의하고 승인한다.

2. 이 기구의 경비는 총회에서 할당한 바에 따라 회원국이 부담한다.

3. 총회는 제57조에 언급된 전문기구와의 어떠한 재정상 및 예산상 약정도 심의하고 승인하며, 당해 전문기구에 권고할 목적으로 그러한 전문 기구의 행정적 예산을 검사한다.

표결

제 18 조

1. 총회의 각 구성국은 1개의 투표권을 가진다.

2. 중요문제에 관한 총회의 결정은 출석하여 투표하는 구성국의 3분의 2의 다수로 한다. 이러한 문제는 국제평화와 안전의 유지에 관한 권고, 안전보장 이사회의 비상임이사국의 선출, 경제사회이사회의 이사국의 선출, 제86조 제1항 다호에 의한 신탁통치이사회의 이사국의 선출, 신회원국의 국제연합 가입의 승인, 회원국으로서의 권리 및 특권의 정지, 회원국의 제명, 신탁통치제도의 운영에 관한 문제 및 예산문제를 포함한다.

3. 기타 문제에 관한 결정은, 3분의 2의 다수로 결정될 문제의 추가적 범주의 결정을 포함하여, 출석하여 투표하는 구성국의 과반수로 한다.

제 19 조

이 기구에 대한 재정적 분담금의 지불을 연체한 국제연합회원국은, 그 연체 금액이 그때까지의 만 2년간 그 나라가 지불하였어야 할 분담금의 금액과 같거나 또는 초과하는 경우에는, 총회에서 투표권을 가지지 못한다. 그럼에도 총회는, 지불의 불이행이 그 회원국이 제어할 수 없는 사정에 의한 것임이 인정되는 경우에는, 그 회원국의 투표를 허용할 수 있다.

0023

절차

제 20 조

총회는 연례정기회기 및 필요한 경우에는 특별회기로서 회합한다.
특별회기는 안전보장이사회의 요청 또는 국제연합회원국의 과반수의 요청에
따라 사무총장이 소집한다.

제 21 조

총회는 그 자체의 의사규칙을 채택한다. 총회는 매회기마다 의장을
선출한다.

제 22 조

총회는 그 임무의 수행에 필요하다고 인정되는 보조기관을 설치할 수
있다.

제 5 장
안전보장이사회

구성

제 23 조

1. 안전보장이사회는 15개 국제연합회원국으로 구성된다. 중화민국,
프랑스, 소비에트사회주의공화국연방, 그레이트 브리턴 및 북아일랜드연합왕국 및
미합중국은 안전보장이사회의 상임이사국이다. 총회는 먼저 국제평화와 안전의
유지 및 이 기구의 기타 목적에 대한 국제연합회원국의 공헌과 또한 공평한 지리적
배분을 특별히 고려하여 그외 10개의 국제연합회원국을 안전보장이사회의 비상임
이사국으로 선출한다.

0030

2. 안전보장이사회의 비상임이사국은 2년의 임기로 선출된다. 안전보장
이사회의 이사국이 11개국에서 15개국으로 증가된 후 최초의 비상임이사국
선출에서는, 추가된 4개이사국중 2개이사국은 1년의 임기로 선출된다. 퇴임
이사국은 연이어 재선될 자격을 가지지 아니한다.

3. 안전보장이사회의 각 이사국은 1인의 대표를 가진다.

임무와 권한
제 24 조

1. 국제연합의 신속하고 효과적인 조치를 확보하기 위하여, 국제연합
회원국은 국제평화와 안전의 유지를 위한 일차적 책임을 안전보장이사회에
부여하며, 또한 안전보장이사회가 그 책임하에 의무를 이행함에 있어
회원국을 대신하여 활동하는 것에 동의한다.

2. 이러한 의무를 이행함에 있어 안전보장이사회는 국제연합의 목적과
원칙에 따라 활동한다. 이러한 의무를 이행하기 위하여 안전보장이사회에
부여된 특정한 권한은 제6장, 제7장, 제8장 및 제12장에 규정된다.

3. 안전보장이사회는 연례보고 및 필요한 경우에는 특별보고를 총회에
심의하도록 제출한다.

제 25 조

국제연합회원국은 안전보장이사회의 결정을 이 헌장에 따라 수락하고,
이행할 것을 동의한다.

제 26 조

세계의 인적 및 경제적 자원을 군비를 위하여 최소한도로 전용함으로써
국제평화와 안전의 확립 및 유지를 촉진하기 위하여, 안전보장이사회는 군비
규제체제의 확립을 위하여 국제연합회원국에 제출되는 계획을, 제47조에 언급된
군사참모위원회의 원조를 받아, 작성할 책임을 진다.

0031

표결

제 27 조

1. 안전보장이사회의 각 이사국은 1개의 투표권을 가진다.

2. 절차사항에 관한 안전보장이사회의 결정은 9개이사국의 찬성투표로써 한다.

3. 그외 모든 사항에 관한 안전보장이사회의 결정은 상임이사국의 동의 투표를 포함한 9개이사국의 찬성투표로써 한다. 단, 제6장 및 제52조 제3항에 의거한 결정에 있어서는 분쟁당사국은 투표를 기권한다.

절차

제 28 조

1. 안전보장이사회는 계속적으로 임무를 수행할 수 있도록 조직된다. 이를 위하여 안전보장이사회의 각 이사국은 이 기구의 소재지에 상주대표를 둔다.

2. 안전보장이사회는 정기회의를 개최한다. 이 회의에 각 이사국은 희망하는 경우 각료 또는 특별히 지명한 다른 대표에 의하여 대표될 수 있다.

3. 안전보장이사회는 그 사업을 가장 용이하게 할 수 있다고 판단되는 이 기구의 소재지 이외의 장소에서 회의를 개최할 수 있다.

제 29 조

안전보장이사회는 그 임무의 수행에 필요하다고 인정되는 보조기관을 설치할 수 있다.

제 30 조

안전보장이사회는 의장선출방식을 포함한 그 자체의 의사규칙을 채택한다.

0032

제 31 조

안전보장이사회의 이사국이 아닌 어떠한 국제연합회원국도, 안전보장
이사회가 그 회원국의 이해가 특히 영향을 받는다고 인정할 때에는 언제든지
안전보장이사회에 회부된 어떠한 문제의 토의에도 투표권없이 참가할 수 있다.

제 32 조

안전보장이사회의 이사국이 아닌 국제연합회원국 또는 국제연합회원국이
아닌 어떠한 국가도, 안전보장이사회에서 심의중인 분쟁의 당사자인 경우에는,
이 분쟁에 관한 토의에 투표권없이 참가하도록 초청된다. 안전보장이사회는
국제연합회원국이 아닌 국가의 참가에 공정하다고 인정되는 조건을 정한다.

제 6 장
분쟁의 평화적 해결

제 33 조

1. 어떠한 분쟁도 그의 계속이 국제평화와 안전의 유지를 위태롭게 할
우려가 있는 것일 경우, 그 분쟁의 당사자는 우선 교섭·심사·중개·조정·중재재판·
사법적 해결·지역적 기관 또는 지역적 약정의 이용 또는 당사자가 선택하는 어타
평화적 수단에 의한 해결을 구한다.

2. 안전보장이사회는, 필요하다고 인정하는 경우, 당사자에 대하여
그 분쟁을 위의 수단에 의하여 해결하도록 요청한다.

0033

제 34 조

안전보장이사회는 어떠한 분쟁에 관하여도, 또는 국제적 마찰이 되거나 분쟁을 발생하게 할 우려가 있는 어떠한 사태에 관하여도, 그 분쟁 또는 사태의 계속이 국제평화와 안전의 유지를 위태롭게 할 우려가 있는지 여부를 결정하기 위하여 조사할 수 있다.

제 35 조

1. 국제연합회원국은 어떠한 분쟁에 관하여도, 또는 제34조에 규정된 성격의 어떠한 사태에 관하여도, 안전보장이사회 또는 총회의 주의를 환기할 수 있다.

2. 국제연합회원국이 아닌 국가는 자국이 당사자인 어떠한 분쟁에 관하여도, 이 헌장에 규정된 평화적 해결의 의무를 그 분쟁에 관하여 미리 수락하는 경우에는 안전보장이사회 또는 총회의 주의를 환기할 수 있다.

3. 이 조에 의하여 주의가 환기된 사항에 관한 총회의 절차는 제11조 및 제12조의 규정에 따른다.

제 36 조

1. 안전보장이사회는 제33조에 규정된 성격의 분쟁 또는 유사한 성격의 사태의 어떠한 단계에 있어서도 적절한 조정절차 또는 조정방법을 권고할 수 있다.

2. 안전보장이사회는 당사자가 이미 채택한 분쟁해결절차를 고려하여야 한다.

0034

3. 안전보장이사회는 이 조에 의하여 권고를 함에 있어서, 원칙적으로 법률적 분쟁은 국제사법재판소규정의 규정에 따라 당사자에 의하여 동 재판소에 회부되어야 한다는 점도 고려하여야 한다.

제 37 조

1. 제33조에 규정된 성격의 분쟁당사자는, 동 조에 언급된 수단에 의하여 분쟁을 해결하지 못하는 경우, 이를 안전보장이사회에 회부한다.

2. 안전보장이사회는, 분쟁의 계속이 국제평화와 안전의 유지를 위태롭게 할 우려가 실제로 있다고 인정하는 경우, 제36조에 의하여 조치를 취할 것인지 또는 적절하다고 판단하는 해결조건을 권고할 것인지를 결정한다.

제 38 조

제33조 내지 제37조의 규정을 침해하지 아니하고, 안전보장이사회는 어떠한 분쟁에 관하여도, 모든 분쟁당사자가 요청하는 경우, 분쟁의 평화적 해결을 위하여 그 당사자에게 권고할 수 있다.

제 7 장
평화에 대한 위협, 평화의 파괴 및 침략행위에 관한 조치

제 39 조

안전보장이사회는 평화에 대한 위협, 평화의 파괴 또는 침략행위의 존재를 결정하고, 국제평화와 안전을 유지하거나 이를 회복하기 위하여 권고하거나 또는 제41조 및 제42조에 따라 어떠한 조치를 취할 것인지를 결정한다.

0035

제 40 조

사태의 악화를 방지하기 위하여, 안전보장이사회는, 제39조에 규정된 권고를
하거나 조치를 결정하기 전에, 필요하거나 바람직하다고 인정되는 잠정조치에
따르도록 관계당사자에게 요청할 수 있다. 이 잠정조치는 관계당사자의 권리,
청구권 또는 지위를 침해하지 아니한다. 안전보장이사회는 이 잠정조치가 이행
되지 않는 경우, 불이행사실에 대하여 타당한 고려를 행한다.

제 41 조

안전보장이사회는 그의 결정을 집행하기 위하여, 병력의 사용을 수반하지
아니하는 어떠한 조치를 취하여야 할 것인지를 결정할 수 있으며, 또한
국제연합회원국에 대하여 그러한 조치를 적용하도록 요청할 수 있다. 이 조치는
경제관계 및 철도·항해·항공·우편·전신·무선통신 및 여타 교통통신수단의 전부
또는 일부의 중단과 외교관계의 단절을 포함할 수 있다.

제 42 조

안전보장이사회는, 제41조에 규정된 조치가 불충분할 것으로 인정하거나
또는 불충분한 것으로 판명되었다고 인정하는 경우에는, 국제평화와 안전의
유지 또는 회복에 필요한 공군·해군 또는 육군에 의한 행동을 취할 수 있다.
이러한 행동에는 국제연합회원국의 공군·해군 또는 육군에 의한 시위·봉쇄 및
여타의 작전을 포함할 수 있다.

제 43 조

1. 국제평화와 안전의 유지에 공헌하기 위하여, 모든 국제연합회원국은
안전보장이사회의 요청에 의하여 그리고 1 또는 그 이상의 특별협정에 따라,
국제평화와 안전의 유지에 필요한 병력, 원조 및 통과권을 포함한 편의를
안전보장이사회가 이용할 수 있도록 할 것을 약속한다.

0036

2. 위의 협정은 병력의 수 및 종류, 그 출동 준비의 정도와 일반적 배치 및 제공될 편의와 원조의 성질을 규율한다.

3. 이 협정은 안전보장이사회의 발의에 의하여 가능한 한 신속히 교섭 되어야 한다. 이 협정은 안전보장이사회와 회원국간에 또는 안전보장이사회와 회원국집단간에 체결되며, 서명국 각자의 헌법상의 절차에 따라 비준되어야 한다.

제 44 조

안전보장이사회는, 무력을 사용하기로 결정한 경우, 이사회에서 대표되지 아니하는 회원국에게 제43조에 따라 부과된 의무의 이행으로서 병력의 제공을 요청하기 전에, 그 회원국이 희망한다면, 구 회원국 병력중 파견부대의 사용에 관한 안전보장이사회의 결정에 참여하도록 그 회원국을 초청한다.

제 45 조

국제연합이 긴급한 군사조치를 취할 수 있도록 하기 위하여, 회원국은 합동의 국제적 강제조치를 위하여 자국의 공군파견부대를 즉시 이용할 수 있도록 유지한다. 이러한 파견부대의 전력과 출동준비정도 및 합동행동에 계획은 제43조에 규정된 1 또는 그 이상의 특별협정에 설정된 범위안에서 군사참모위원회의 도움을 얻어 안전보장이사회가 결정한다.

제 46 조

병력사용계획은 군사참모위원회의 도움을 얻어 안전보장이사회가 작성한다.

0037

제 47 조

1. 국제평화와 안전의 유지를 위한 안전보장이사회의 군사적 요구, 안전보장이사회의 재량에 맡기어진 병력의 사용 및 지휘, 군비규제 그리고 가능한 군비축소에 관한 모든 문제에 관하여 안전보장이사회에 조언하고 도움을 주기 위하여 군사참모위원회를 설치한다.

2. 군사참모위원회는 안전보장이사회 상임이사국의 참모총장 또는 그의 대표로써 구성된다. 이 위원회에 상임위원으로서 대표되지 아니하는 국제연합 회원국은, 위원회의 책임의 효과적인 수행을 위하여 위원회의 사업에 그 회원국의 참여가 필요한 경우에는, 위원회에 의하여 그와 제휴하도록 초청된다.

3. 군사참모위원회는 안전보장이사회하에 안전보장이사회의 재량에 맡기어진 병력의 전략적 지도에 대하여 감독하에 책임을 진다. 그러한 병력의 지휘에 관한 문제는 추후에 해결한다.

4. 군사참모위원회는, 안전보장이사회의 허가를 얻어 적절한 그리고 지역 기구와 협의한 후, 지역소위원회를 설치할 수 있다.

제 48 조

1. 국제평화와 안전의 유지를 위한 안전보장이사회의 결정을 이행하는 데 필요한 조치는 안전보장이사회가 정하는 바에 따라 국제연합회원국의 전부 또는 일부에 의하여 취하여진다.

2. 그러한 결정은 국제연합회원국에 의하여 직접적으로 또한 국제연합 회원국이 그 구성국인 적절한 국제기관에 있어서의 이들 회원국의 조치를 통하여 이행된다.

0038

제 49 조

국제연합회원국은 안전보장이사회가 결정한 조치를 이행하는 데 있어서
상호원조를 제공하는 데에 참여한다.

제 50 조

안전보장이사회가 어느 국가에 대하여 방지조치 또는 강제조치를 취하는
경우, 국제연합회원국인지 아닌지를 불문하고 어떠한 다른 국가도 자국이
이 조치의 이행으로부터 발생하는 특별한 경제문제에 직면한 것으로 인정하는
경우, 동 문제의 해결에 관하여 안전보장이사회와 협의할 권리를 가진다.

제 51 조

이 헌장의 어떠한 규정도, 국제연합회원국에 대하여 무력공격이 발생한 경우,
안전보장이사회가 국제평화와 안전을 유지하기 위하여 필요한 조치를 취할 때까지는
개별적 또는 집단적 자위의 고유한 권리를 침해하지 아니한다. 자위권의 행사에
있어서 회원국이 취한 조치는 즉시 안전보장이사회에 보고된다. 또한 이 조치는,
안전보장이사회가 국제평화와 안전의 유지 또는 회복을 위하여 필요하다고 간주하는
조치를 언제든지 취한다는 이 헌장에 의한 안전보장이사회의 권능과 책임에 대하여
어떠한 영향도 미치지 아니한다.

제 8 장
지역적 약정

제 52 조

1. 이 헌장의 어떠한 규정도, 국제평화와 안전의 유지에 관한 사항으로서
지역적 조치에 적합한 사항을 처리하기 위하여 지역적 약정 또는 지역적 기관이
존재하는 것을 방해하지 아니한다. 다만, 이 약정 또는 기관 및 그 활동이
국제연합의 목적과 원칙에 일치하는 것을 조건으로 한다.

0033

2. 그러한 약정을 체결하거나 그러한 기관을 조직하는 국제연합회원국은
지역적 분쟁을 안전보장이사회에 회부하기 전에 이 지역적 약정 또는 지역적
기관에 의하여 그 분쟁을 평화적으로 해결하도록 모든 노력을 다한다.

3. 안전보장이사회는 관계국의 발의에 의하거나 안전보장이사회의 위탁에
의하여 그러한 지역적 약정 또는 지역적 기관에 의한 지역적 분쟁의 평화적 해결의
발달을 장려한다.

4. 이 조는 제34조 및 제35조의 적용을 결코 저해하지 아니한다.

제 53 조

1. 안전보장이사회는 그 권위하에 취하여지는 강제조치를 위하여 적절한
경우에는 그러한 지역적 약정 또는 지역적 기관을 이용한다. 다만, 안전보장
이사회의 허가없이는 어떠한 강제조치도 지역적 약정 또는 지역적 기관에 의하여
취하여져서는 아니된다. 그러나 이 조 제2항에 규정된 어떠한 적국에 대한 조치
이든지 제107조에 규정된 것 또는 적국에 의한 침략정책의 재현에 대비한 지역적
약정에 규정된 것은, 관계정부의 요청에 따라 기구가 그 적국에 의한 새로운
침략을 방지할 책임을 질 때까지는 예외로 한다.

2. 이 조 제1항에서 사용된 적국이라는 용어는 제2차 세계대전중에 이 헌장
서명국의 적국이었던 어떠한 국가에도 적용된다.

제 54 조

안전보장이사회는 국제평화와 안전의 유지를 위하여 지역적 약정 또는
지역적 기관에 의하여 개시되거나 또는 기도되고 있는 활동에 대하여 항상
충분히 통보받는다.

제 9 장
경제적 및 사회적 국제협력

제 55 조

제 국민의 평등권 및 자결원칙의 존중에 기초한 국가간의 평화롭고
우호적인 관계에 필요한 안정과 복지의 조건을 창조하기 위하여, 국제연합은
다음의 것을 촉진한다.

    가. 더 높은 생활수준, 완전고용 그리고 경제적 및 사회적 진보와 발전의
        조건
    나. 경제적·사회적 및 보건상 국제문제와 관련국제문제의 해결 그리고
        문화적 및 교육적 국제협력
    다. 인종·성별·언어 또는 종교에 의한 차별이 없는, 모든 사람을 위한
        인권 및 기본적 자유의 보편적 존중과 준수

제 56 조

모든 회원국은 제55조에 규정된 목적의 달성을 위하여 기구와 협력하여
공동의 조치 및 개별적 조치를 취할 것을 약속한다.

제 57 조

    1. 정부간 협정에 의하여 설치되고 경제·사회·문화·교육·보건분야 및
관련분야에 있어서 기본적 문서에 정한 바에 따라 광범위한 국제적 책임을 지는
각종 전문기구는 제63조의 규정에 따라 국제연합과 제휴관계를 설정한다.

    2. 이와 같이 국제연합과 제휴관계를 설정한 기구는 이하 전문기구라 한다.

0041

제 58 조

기구는 전문기구의 정책과 활동을 조정하기 위하여 권고를 한다.

제 59 조

기구는 적절한 경우 제55조에 규정된 목적의 달성에 필요한 새로운
전문기구를 창설하기 위하여 관계국간의 교섭을 발의한다.

제 60 조

이 장에서 규정된 기구의 임무를 수행할 책임은 총회와 총회권위하의
경제사회이사회에 부과된다. 경제사회이사회는 이를 위하여 제10장에 규정된
권한을 가진다.

제 10 장
경제사회이사회

구성
제 61 조

1. 경제사회이사회는 총회에 의하여 선출된 54개 국제연합회원국으로
구성된다.

2. 제3항의 규정을 조건으로 하여, 경제사회이사회의 18개 이사국은 3년의
임기로 매년 선출된다. 퇴임이사국은 연이어 재선될 자격이 있다.

3. 경제사회이사회의 이사국을 27개국에서 54개국으로 증가시킨 후 최초의
선거에서는, 그 해 말에 임기가 종료되는 9개 이사국을 대신하여 선출되는 국가에
더하여 추가로 27개 이사국이 선출된다. 총회가 정한 약정에 따라, 이러한 추가의
27개 이사국중 9개 이사국의 임기는 1년의 말에 종료되고, 다른 9개 이사국의
임기는 2년의 말에 종료된다.

4. 경제사회이사회의 각 이사국은 1명의 대표를 가진다.

0042

임무와 권한

제 62 조

1. 경제사회이사회는 경제적.사회적.문화적.교육적 및 보건상 국제
사항과 관련국제사항에 관한 연구 및 보고를 하거나 또는 발의하며 아울러
그러한 사항에 관하여 총회, 국제연합회원국 및 관계전문기구에 권고할 수
있다.

2. 이사회는 모든 사람을 위한 인권 및 기본적 자유의 존중과 준수를
증진하기 위하여 권고할 수 있다.

3. 이사회는 그 권한에 속하는 사항에 관하여 총회에 제출하기 위한
협약안을 작성할 수 있다.

4. 이사회는 국제연합이 정한 규칙에 따라 그 권한에 속하는 사항에
관하여 국제회의를 소집할 수 있다.

제 63 조

1. 경제사회이사회는 제57조에 규정된 기구가 국제연합과 제휴관계를
설정함에 있어서의 조건을 규정하는 협정을 동 기구와 체결할 수 있다.
그러한 협정은 총회의 승인을 받아야 한다.

2. 이사회는 전문기구와의 협의, 전문기구에 대한 권고 및 총회와
국제연합회원국에 대한 권고를 통하여 전문기구의 활동을 조정할 수 있다.

제 64 조

1. 경제사회이사회는 전문기구로부터 정기보고를 받기 위하여 적절한
조치를 취할 수 있다. 이사회는, 이사회의 권고와 이사회의 권한에 속하는
사항에 관한 총회의 권고를 실시하기 위하여 취하여진 조치에 관하여 보고를
받기 위하여, 국제연합회원국 및 전문기구와 약정을 체결할 수 있다.

0043

2. 이사회는 이러한 보고에 관한 의견을 총회에 통보할 수 있다.

제 65 조

경제사회이사회는 안전보장이사회에 정보를 제공할 수 있으며, 안전보장
이사회의 요청이 있을 때에는 이를 지원한다.

제 66 조

1. 경제사회이사회는 총회의 권고의 이행과 관련하여 그 권한에 속하는
임무를 수행한다.

2. 이사회는 국제연합회원국의 요청이 있을 때와 전문기구의 요청이
있을 때에는 총회의 승인을 얻어 역무를 제공할 수 있다.

3. 이사회는 이 헌장의 다른 곳에 규정되거나 총회에 의하여 이사회에
부과된 다른 임무를 수행한다.

표결
제 67 조

1. 경제사회이사회의 각 이사국은 1개의 투표권을 가진다.

2. 경제사회이사회의 결정은 출석하여 투표하는 이사회의 과반수에 의하여
행하여진다.

절차
제 68 조

경제사회이사회는 경제적 및 사회적 분야의 위원회, 인권의 신장을 위한
위원회 및 이사회의 임무수행에 필요한 다른 위원회를 설치한다.

0044

제 69 조

경제사회이사회는 어떠한 국제연합회원국에 대하여도, 그 회원국과 특히
관계가 있는 사항에 관한 심의에 투표권없이 참가하도록 권유한다.

제 70 조

경제사회이사회는 전문기구의 대표가 이사회의 심의 및 이사회가 설치한
위원회의 심의에 투표권없이 참가하기 위한 약정과 이사회의 대표가 전문기구의
심의에 참여하기 위한 약정을 체결할 수 있다.

제 71 조

경제사회이사회는 그 권한내에 있는 사항과 관련이 있는 민간단체와의
협의를 위하여 적절한 약정을 체결할 수 있다. 그러한 약정은 국제단체와
체결할 수 있으며 적절한 경우에는 관련 국제연합회원국과의 협의후에 국내
단체와도 체결할 수 있다.

제 72 조

1. 경제사회이사회는 의장선정방법을 포함한 의사규칙을 채택한다.

2. 경제사회이사회는 그 규칙에 따라 필요한 때에 회합하며, 동 규칙은
이사국 과반수의 요청에 의한 회의소집의 규정을 포함한다.

제 11 장
비자치지역에 관한 선언

제 73 조

주민이 아직 완전한 자치를 행할 수 있는 상태에 이르지 못한 지역의
시정을 행할 책임을 지거나 또는 그 책임을 인수하는 국제연합회원국은, 그 지역

0045

주민의 이익이 가장 중요하다는 원칙을 승인하고, 그 지역주민의 복지를 헌장에 의하여 확립된 국제평화와 안전의 제도안에서 최고도로 증진시킬 의무와 이를 위하여 다음의 일을 행할 의무를 신성한 신탁으로서 수락한다.

    가. 관계주민의 문화를 정당하게 존중함과 아울러 그들의 정치적·경제적·
            사회적 및 교육적 진보, 공정한 대우, 그리고 학대로부터의 보호를
            확보하는 것.

    나. 각지역 및 그 주민의 특수사정과 그들의 상이한 발전단계에 맞추어
            자치를 발달시키고, 주민의 정치적 소망을 정당하게 고려하며, 또한
            주민의 자유로운 정치제도의 점진적 발달을 위하여 지원하는 것.

    다. 국제평화와 안전을 증진하는 것.

    라. 이 조에 규정된 사회적·경제적 및 과학적 목적을 실질적으로 달성하기
            위하여 건설적인 발전조치를 촉진하고, 연구를 장려하며, 상호간 및
            적절한 경우에는 전문적 국제단체와 협력하는 것.

    마. 제12장과 제13장이 적용되는 지역을 제외하고 위의 회원국이 각각
            책임을 지는 지역에서의 경제적·사회적 및 교육적 조건에 관한 전문적
            성질의 통계 및 다른 정보를, 안전보장과 헌법상의 고려에 따라 필요한
            제한을 조건으로 하여 정보용으로서 사무총장에게 정규적으로 송부하는 것.

제 74 조

국제연합회원국은 또한 이 헌장이 적용되는 지역에 관한 정책이, 그 본토에 관한 정책과 마찬가지로 세계의 다른 지역의 이익과 복지가 정당하게 고려되는 가운데에, 사회적·경제적 및 상업적 사항에 관하여 선린주의의 일반원칙에 기초를 두어야 한다는 점에 동의한다.

0046

제 12 장
국제신탁통치제도

제 75 조

국제연합은 금후의 개별적 협정에 의하여 이 제도하에 두게될 수 있는
지역의 시정 및 감독을 위하여 그 권위하에 국제신탁통치제도를 확립한다.
이 지역은 이하 신탁통치 지역이라 한다.

제 76 조

신탁통치제도의 기본적 목적은, 이 헌장 제1조에 규정된 국제연합의 목적에
따라, 다음과 같다.

가. 국제평화와 안전을 증진하는 것.

나. 신탁통치지역 주민의 정치적, 경제적, 사회적 및 교육적 발전, 그리고
    각 지역 및 그 인민의 특수사정과 당해인민이 자유롭게 표명한 소망에
    적합하다면, 그리고 각 신탁통치협정의 조항이 규정하는 바에 따라,
    자치 또는 독립을 향한 그들의 진보적 발달을 촉진하는 것.

다. 인종, 성별, 언어 또는 종교에 의한 차별없이 모든 사람을 위한
    인권과 기본적 자유에 대한 존중을 장려하고, 세계인민의 상호의존의
    인식을 장려하는 것.

라. 위의 목적의 달성에 영향을 미치지아니하고 제80조의 규정에 따를 것을
    조건으로, 모든 국제연합회원국 및 그 국민을 위하여 사회적, 경제적 및
    상업적 사항에 대한 평등한 대 그리고 또한 그 국민을 위한 사법상의
    평등한 대우를 확보하는 것.

0047

제 77 조

1. 신탁통치제도는 신탁통치협정에 의하여 이 제도하에 두게될 수 있는 다음과 같은 범주의 지역에 적용된다.

가. 현재 위임통치하에 있는 지역

나. 제2차 세계대전의 결과로서 적국으로부터 분리될 수 있는 지역

다. 시정에 책임을 지는 국가가 자발적으로 그 제도하에 두는 지역

2. 위의 범주내의 어떠한 지역을 어떠한 조건으로 신탁통치제도하에 두게 될 것인가에 관하여는 금후의 협정에서 정한다.

제 78 조

국제연합회원국간의 관계는 주권평등원칙의 존중에 기초하므로 신탁통치제도는 국제연합회원국인 지역에 대하여는 적용하지 아니한다.

제 79 조

신탁통치제도하에 두게 되는 각 지역에 관한 신탁통치의 조항은, 어떤 변경 또는 개정을 포함하여 직접 당해국에 의하여 합의되며, 제83조 및 제85조에 규정된 바에 따라 승인된다. 이 직접 당해국은 국제연합회원국의 위임통치하에 있는 지역의 경우, 수입국을 포함한다.

제 80 조

1. 제77조, 제79조 및 제81조에 의하여 체결되고, 각 지역을 신탁통치제도하에 두는 개별적인 신탁통치협정에서 합의되는 경우를 제외하고 그리고 그러한 협정이 체결될 때까지, 이 헌장의 어떤 규정도 어느 국가 또는 국민의 여하한 권리, 또는 국제연합회원국이 각기 당사국으로 되는 기존의 국제문서의 조항을 어떠한 방식으로도 변경하는 것으로 본질적으로 또는 저절로 해석되지 아니한다.

0048

2. 이 조 제1항은 제77조에 규정한 바에 따라 위임통치지역 및 기타 지역을 신탁통치제도하에 두기 위한 협정의 교섭 및 체결의 지체 또는 연기를 위한 근거를 부여하는 것으로 해석되지 아니한다.

제 81 조

신탁통치협정은 각 경우에 있어 신탁통치지역을 시정하는 조건을 포함하고, 신탁통치지역의 시정을 행할 당국을 지정한다. 그러한 당국은 이하 시정권자라 하며 1 또는 그 이상의 국가, 또는 기구 자신일 수 있다.

제 82 조

어떠한 신탁통치협정에 있어서도, 제43조에 의하여 체결되는 특별협정에 영향을 두지 아니하고 협정이 적용되는 신탁통치지역의 일부 또는 전부를 포함하는 1 또는 그 이상의 전략지역을 지정할 수 있다.

제 83 조

1. 전략지역에 관한 국제연합의 모든 임무는, 신탁통치협정의 조항과 그 변경 또는 개정의 승인을 포함하여, 안전보장이사회가 행한다.

2. 제76조에 기본목적을 각 전략지역의 인민에 적용된다.

3. 안전보장이사회는, 신탁통치협정의 규정에 따를 것을 조건으로 또한 안전보장에 대한 고려에 영향을 미치지 아니하고, 전략지역에서의 정치적, 경제적, 사회적 및 교육적 사항에 관한 신탁통치 제도하의 국제연합의 임무를 수행하기 위하여 신탁통치이사회의 원조를 이용한다.

0043

제 84 조

신탁통치지역이 국제평화와 안전의 유지에 있어 그 역할을 하는 것을 보장하는 것이 시정권자의 의무이다. 이 목적을 위하여, 시정권자는 이점에 관하여 시정권자가 안전보장이사회에 대하여 부담하는 의무를 이행함에 있어서 또한 지역적 방위 및 신탁통치지역안에서의 법과 질서의 유지를 위하여 신탁 통치지역의 의용군·편의 및 원조를 이용할 수 있다.

제 85 조

1. 전략지역으로 지정되지 아니한 모든 지역에 대한 신탁통치협정과 관련하여 국제연합의 임무는, 신탁통치협정의 조항과 그 변경 또는 개정의 승인을 포함하여, 총회가 수행한다.

2. 총회의 권위하에 운영되는 신탁통치이사회는 이러한 임무의 수행에 있어 총회를 원조한다.

제 13 장
신탁통치이사회

구성
제 86 조

1. 신탁통치이사회는 다음의 국제연합회원국으로 구성한다.
   가. 신탁통치지역을 시정하는 회원국
   나. 신탁통치지역을 시정하지 아니하나 제23조에 이름이 언급된 회원국
   다. 총회에 의하여 3년의 임기로 선출된 기타 회원국. 그 수는 신탁통치이사회의 이사국의 총수를 신탁통치지역을 시정하는 국제연합회원국과 이를 하지 아니하는 회원국간에 균분하는 것을 확보함에 필요한 수로 한다.

0050

2. 신탁통치이사회의 각 이사국은 이사회에서 자국을 대표하도록 특별한 자격을 가지는 1인을 지명한다.

임무와 권한

제 87 조

총회와, 그 권위하의 신탁통치이사회는 그 임무를 수행함에 있어 다음을 할 수 있다.

가. 시정권자가 제출하는 보고서의 심의하는 것

나. 청원의 수리 및 시정권자와 협의하여 이를 심사하는 것

다. 시정권자와 합의한 때에 각 신탁통치지역에 정기적으로 방문하는것, 그리고

라. 신탁통치협정의 조항에 따라 이러한 그리고 다른 조치를 취하는 것

제 88 조

신탁통치이사회는 각 신탁통치지역 주민의 정치적.경제적.사회적 및 교육적 발전에 관한 질문서를 작성하며, 또한 총회의 권능내에 있는 각 신탁통치지역의 시정권자는 그러한 질문서에 기초하여 총회에 연례보고를 행한다.

표결

제 89 조

1. 신탁통치이사회의 각 이사국은 1개의 투표권을 가진다.

2. 신탁통치이사회의 결정은 출석하여 투표하는 이사국의 과반수에 의하여 한다.

절차

제 90 조

1. 신탁통치이사회는 의장 선출방식을 포함한 그 자체의 의사규칙을 채택한다.

0051

2. 신탁통치이사회는 그 규칙에 따라 필요한 경우 회합한다.
규칙은 이사국 과반수의 요청으로 회의를 소집하는 규정을 포함한다.

제 91 조

신탁통치이사회는, 적절한 경우, 경제사회이사회 그리고 전문기구가
각기 관련된 사항에 관하여는 전문기구의 원조를 이용한다.

제 14 장
국제사법재판소

제 92 조

국제사법재판소는 국제연합의 주요한 사법기관이다. 재판소는 부속된
규정에 따라 임무를 수행한다. 이 규정은 상설국제사법재판소 규정에 기초하며,
이 헌장의 불가분의 일체를 이룬다.

제 93 조

1. 모든 국제연합회원국은 국제사법재판소 규정의 당연 당사국이다.

2. 국제연합회원국이 아닌 국가는 안전보장이사회의 권고에 의하여 총회가
각 경우에 결정하는 조건으로 국제사법재판소 규정의 당사국이 될 수 있다.

제 94 조

1. 국제연합의 각 회원국은 자국이 당사자가 되는 어떤 사건에 있어서도
국제사법재판소의 결정에 따를 것을 약속한다.

0052

2. 사건의 당사자가 재판소가 내린 판결에 따라 자국이 부담하는 의무를
이행하지 아니하는 경우에는, 타방의 당사자는 안전보장이사회에 제소할 수 있다.
안전보장이사회는, 필요하다고 인정하는 경우, 판결을 집행하기 위하여 권고
하거나 취하여야 할 조치를 결정할 수 있다.

제 95 조

이 헌장의 어떠한 규정도 국제연합회원국이 그들간의 분쟁의 해결을 이미
존재하거나 장래에 체결될 협정에 의하여 다른 법정에 부탁하는 것을 방해
하지 아니한다.

제 96 조

1. 총회 또는 안전보장이사회는 어떠한 법적 문제에 관하여도 국제사법
재판소에 권고적 의견을 줄 것을 요청할 수 있다.

2. 총회에 의하여 언제든지 권한이 주어질 수 있는 국제연합의 다른 기관
및 전문기구도 그 활동범위안에서 발생하는 법적문제에 관하여 재판소의 권고적
의견을 또한 요청할 수 있다.

제 15 장
사 무 국

제 97 조

사무국은 1인의 사무총장과 기구가 필요로 하는 직원으로 구성한다.
사무총장은 안전보장이사회의 권고로 총회가 임명한다. 그는 기구의 행정
직원의 장이다.

0053

제 98 조

사무총장은 총회, 안전보장이사회, 경제사회이사회 및 신탁통치이사회의 모든 회의에 사무총장의 자격으로 활동하며, 이러한 기관에 의하여 그에게 위임된 다른 임무를 수행한다. 사무총장은 기구의 사업에 관하여 총회에 연례보고를 한다.

제 99 조

사무총장은 국제평화와 안전의 유지를 위협한다고 인정되는 어떠한 사항에도 안전보장이사회의 주의를 환기할 수 있다.

제 100 조

1. 사무총장과 직원은 그들의 임무수행에 있어서 어떠한 정부 또는 이 기구외의 어떠한 다른 당국으로부터도 지시를 구하거나 받지 아니한다. 사무총장과 직원은 이 기구에 대하여만 책임을 지는 국제적 직원으로서의 지위를 손상할 우려가 있는 어떠한 행동도 삼가한다.

2. 각 국제연합회원국은 사무총장 및 직원의 책임의 전적으로 국제적인 성질을 존중할 것과 그들의 책임수행에 있어서 그들에게 영향력을 행사하려 하지 아니할 것을 약속한다.

제 101 조

1. 직원은 총회가 정한 규칙에 따라 사무총장에 의하여 임명된다.

2. 경제사회이사회, 신탁통치이사회, 그리고 필요한 경우에는 국제연합의 다른 기관에 적절한 직원이 상임으로 배속된다. 이 직원은 사무국의 일부를 구성한다.

0054

3. 직원의 고용과 근무조건의 결정에 있어서 가장 중요한 가장 고려사항은 최고수준의 능률.능력 및 성실성을 확보하여야 한다는 점이다. 가능한 한 광범위한 지리적 기초에 근거하여 직원을 채용하는 것의 중요성에 관하여는 정당하게 고려한다.

제 16 장
잡 칙

제 102 조

1. 이 헌장이 발효한 후 국제연합회원국이 체결하는 모든 조약과 모든 국제협정은 가능한 한 신속히 사무국에 등록되고 사무국에 의하여 공표되어야 한다.

2. 그러한 조약 또는 국제협정으로서 이 조 제1항의 규정에 따라 등록되지 아니한 것의 당사자는 국제연합의 어떠한 기관에 대하여도 그 조약 또는 협정을 원용할 수 없다.

제 103 조

국제연합회원국의 헌장상의 의한 의무와 다른 국제협정상의 의한 의무가 상충되는 경우에는, 헌장상의 의무가 우선한다.

제 104 조

기구는 그 임무의 수행과 그 목적의 달성을 위하여 필요한 법적 능력을 각 회원국의 영역안에서 향유한다.

제 105 조

1. 기구는 그 목적의 달성에 필요한 특권 및 면제를 각 회원국의 영역 안에서 향유한다.

0055

2. 국제연합회원국의 대표 및 기구의 직원은 기구와 관련된 그들의 임무를 독립적으로 수행하기 위하여 필요한 특권과 면제를 향유한다.

3. 총회는 이 조 제1항 및 제2항의 적용세칙을 결정하기 위하여 권고하거나 이 목적을 위하여 국제연합회원국에게 협약을 제안할 수 있다.

제 17 장
과도적 안전보장조치

제 106 조

안전보장이사회가 제42조상의 책임의 수행을 개시할 수 있다고 인정하는, 제43조에 규정된 특별협정이 발효할 때까지, 1943년 10월 30일에 모스크바에서 서명된 4개국 선언의 당사국 및 프랑스는 그 선언 제5항의 규정에 따라, 국제 평화와 안전의 유지를 위하여 필요한 공동조치를 기구를 대신하여 취하기 위하여 상호간 및 필요한 경우 다른 국제연합회원국과 협의한다.

제 107 조

이 헌장의 어떠한 규정도 제2차 세계대전중 이 헌장 서명국의 적이었던 국가에 관한 조치로서, 그러한 조치에 대하여 책임을 지는 정부가 그 전쟁의 결과로서 취하거나 허가한 것을 무효로 하거나 배제하지 아니한다.

제 18 장
개   정

제 108 조

이 헌장의 개정은, 총회 구성국의 3분의 2의 투표에 의하여 채택되고, 모든 안전보장이사회 상임이사국을 포함한 국제연합회원국의 3분의 2에 의하여 각자의 헌법상 절차에 따라 비준되었을 때, 모든 국제연합회원국에 대하여 발효한다.

0056

제 109 조

1. 헌장을 재심의하기 위한 국제연합회원국 전체회의는 총회 구성국의 3분의 2와 안전보장이사회의 9개 이사국의 투표에 의하여 결정되는 일자 및 장소에 개최될 수 있다.

2. 각 국제연합회원국은 회의에서 1개의 투표권을 가진다. 회의의 3분의 2의 다수결에 의하여 권고된 헌장의 어떠한 변경도, 모든 안전보장이사회 상임이사국을 포함한 국제연합회원국의 3분의 2에 의하여 그들 각자의 헌법상 절차에 따라 비준되었을 때 발효한다.

3. 그러한 회의가 이 헌장의 발효후 총회의 제10회 연차회기까지 개최되지 아니하는 경우에는, 그러한 회의를 소집하는 제안이 총회의 제10회 연차회기의 의제에 포함되어야 하며, 회의는 총회 구성국의 과반수와 안전보장이사회의 7개 이사국의 투표에 의하여 결정되는 경우에 개최된다.

제 19 장
비준 및 서명

제 110 조

1. 이 헌장은 서명국에 의하여 그들 각자의 헌법상 절차에 따라 비준된다.

2. 비준서는 미합중국 정부에 기탁되며, 동 정부는 모든 서명국과, 기구의 사무총장이 임명된 경우에는, 사무총장에게 각 기탁을 통고한다.

3. 이 헌장은 중화민국, 프랑스, 소비에트사회주의공화국연방, 그레이트 브리턴 및 북아일랜드연방왕국, 미합중국과 다른 서명국의 과반수가 비준서를 기탁한 때에 발효한다. 기탁된 비준서의 의정서는 발효시 미합중국 정부가 작성하여 그 사본을 모든 서명국에 송부한다.

0057

4. 이 헌장이 발효된 후에 이를 비준하는 헌장 서명국은 각자의 비준서 기탁일에 국제연합의 원회원국이 된다.

제 111 조

중국어, 프랑스어, 러시아어, 영어 및 스페인어본이 동등하게 정본인 이 헌장은 미합중국 정부의 문서보관소에 기탁된다. 헌장의 인증등본은 동 정부가 다른 서명국 정부에 송부한다.

이상의 증거로서, 연합국 정부의 대표들은 이 헌장에 서명하였다.

1945년 6월 26일 샌프란시스코시에서 작성하였다.

附　　則

第 1 條 (施行日)　이 法은 서울特別市議會의 構成日 부터 施行한다.

第 2 條 (다른 法律의 改正)　①政府組織法 第20條第 1項중 "각 中央行政機關 및 서울特別市"를 "각 中央行政機關"으로 한다.

②公務員教育訓練法중 다음과 같이 改正한다.

第 5 條를 削除한다.

第 6 條第 1 項중 "釜山市長 및 道知事"를 "서울特別市長·直轄市長 및 道知事"로 한다.

第 8 條第 2 項중 "서울特別市公務員教育院長과 釜山市 및 各道 地方公務員教育院長"을 "서울特別市·直轄市 및 道 地方公務員教育院長"으로, "서울特別市長 또는 內務部長官"을 "內務部長官"으로 한다.

③地方公企業法중 다음과 같이 改正한다.

第35條第 3 項중 "(서울特別市에 있어서는 國務總理가 指定하는 公認會計士)"를 削除한다.

第44條第 2 項중 "釜山市·道를 組合員으로 할 때에는 內務部長官, 서울特別市를 組合員으로 할 때에는 國務總理의 承認을 얻어 이를 정한다"를 "서울特別市·直轄市 및 道를 組合員으로 할 때에는 內務部長官의 승인을 얻어 이를 정한다"로 한다.

第47條第 1 項중 "釜山市·道에 있어서는 內務部長官, 서울特別市에 있어서는 國務總理가 調整한다"를 "서울特別市·直轄市 및 道에 있어서는 內務部長官이 調整한다"로 하고, 同條第 2 項중 "國務總理 또는 內務部長官"을 "內務部長官"으로 한다.

第49條第 1 項중 "서울特別市·釜山市·道"를 "서울特別市·直轄市 및 道"로 하고, 同條第 3 項중 "서울特別市에 있어서는 國務總理의, 기타 地方自治團體에 있어서는 內務部長官"을 "內務部長官"으로 한다.

第50條第 2 項중 "서울特別市가 共同設立團體인 경우에는 內務部長官을 經由하여 國務總理의, 기타의 경우에는 內務部長官"을 "內務部長官"으로 한다.

④都市鐵道法 第12條第 2 項중 "國務總理 또는 內務部長官"을 "內務部長官"으로 한다.

◇서울特別市 行政特例에 관한法律 制定理由

地方自治法 第161條 및 同法 附則 第6條第3項의 規定에 의하여 首都로서의 특수성을 고려하여 서울特別市의 行政에 관한 特例를 정하려는 것임.

◇主要骨子

1. 組織상의 特例를 다음과 같이 정함.

　가. 서울特別市의 補助機關의 職級 및 行政機構에 관하여는 따로 大統領令으로 정하도록 함.

　나. 大統領令이 정하는 直屬機關 및 地方公社등을 設置하고자 하는 경우에는 內務部長官의 승인을 요하지 아니하도록 함.

2. 一般行政運營상의 特例를 다음과 같이 정함.

　가. 內務部長官이 서울特別市의 地方債發行에 대한 승인여부를 결정하고자 할 때에는 國務總理에게 보고하도록 함.

　나. 內務部長官이 서울特別市의 自治事務에 대한 監査를 하고자 할 때에는 國務總理의 調整을 거치도록 함.

　다. 自治區 상호간의 財源을 調整할 때에는 內務部長官의 승인을 요하지 아니하도록 함.

　라. 서울特別市長이 행한 處分에 대한 行政審判請求事件의 審理·議決은 國務總理所屬 行政審判委員會가 행하도록 함.

　마. 서울特別市 所屬國家公務員에 대한 任用등에 관한 所屬長官 또는 中央行政機關의 長의 權限중 大統領令이 정하는 사항은 서울特別市長이 행하도록 함.

　바. 서울特別市 所屬公務員의 國外派遣訓練 및 國內外 委託教育에 관한 사항은 總務處長官과 協議하여 서울特別市長이 행하도록 함.

　사. 서울特別市 所屬公務員등에 대한 敍勳의 推薦은 서울特別市長이 행하도록 함.

　아. 地方公企業의 決算 및 事業報告書에 첨부하는 會計監査報告書의 作成者인 公認會計士를 서울特別市長이 지정하도록 함.

3. 首都圈廣域行政의 운영에 있어서 中央行政機關의 長과 서울特別市長이 의견을 달리하는 경우에는 國務總理가 이를 調整하도록 함.　　　<법제처 제공>

17

0059

국회에서 의결된 상법중개정법률을 이에 공포한다.

　　　대 통 령　　노 태 우 ㊞

　　1991년 5 월31일

　　　국무총리
　　　　서　리　　정 원 식

　　　　국무위원
　　　　법무부장관　　김 기 춘

◉法律　第4,372號
　　商法中改正法律

商法中 다음과 같이 改正한다.

法律 第3724號 商法中改正法律附則 第4條에 第3項을 다음과 같이 新設한다.

　③第2項의 規定에 의하여 解散된 것으로 보는 會社중 淸算이 終結되지 아니한 會社는 이 法 施行日부터 1年 이내에 第434條의 規定에 의한 特別決議로 第1項의 節次를 밟아 會社를 계속할 수 있다.

法律 第3724號 商法中改正法律附則 第24條에 第3項을 다음과 같이 新設한다.

　③第2項의 規定에 의하여 解散된 것으로 보는 會社중 淸算이 終結되지 아니한 會社는 이 法 施行日부터 1年 이내에 第585條의 規定에 의한 特別決議로 第1項의 節次를 밟아 會社를 계속할 수 있다.

　　　　　附　　則

이 法은 공포한 날부터 施行한다.

◇商法 改正理由 및 主要骨子

　1984年 4月 10日 改正되어 9月 1日부터 施行된 改正 商法에서 株式會社의 경우에는 資本을 5千萬원이상으로, 有限會社의 경우에는 資本總額을 1千萬원이상으로 하는 등 最低資本制를 導入하면서, 旣存의 株式會社 및 有限會社에 대하여는 資本增額 또는 組織變更등을 통하여 法定要件을 갖출 수 있도록 3年間의 猶豫期間을 設定하고 그 期間동안 法定要件을 갖추지 못한 會社는 法律上 解散된 것으로 看做하였으나, 法定要件을 갖추지 못한 會社들이 淸算節次를 밟지 아니하고 실제로는 淸算段階에 있으면서 企業經營을 착실히 繼續하고 있으므로, 이들 會社들이 株主總會 또는 社員總會의 特別決議에 의하여 法定要件을 갖출 수 있도록 이 法 施行日부터 1年동안의 猶豫期間을 한번 더 두려는 것임. <법제처 제공>

국회에서 의결된 국가보안법중개정법률을 이에 공포한다.

　　　대 통 령　　노 태 우 ㊞

　　1991년 5 월31일

　　　국무총리
　　　　서　리　　정 원 식

　　　　국무위원
　　　　법무부장관　　김 기 춘

◉法律　第4,373號
　　國家保安法中改正法律

國家保安法중 다음과 같이 改正한다.

第1條의 題目을 "(目的등)"으로 하고, 同條에 第2項을 다음과 같이 新設한다.

　②이 法을 解釋適用함에 있어서는 第1項의 目的達成을 위하여 필요한 最小限度에 그쳐야 하며, 이를 擴大解釋하거나 憲法上 보장된 國民의 基本的 人權을 부당하게 제한하는 일이 있어서는 아니된다.

第2條의 題目을 "(定義)"로 하고, 同條第1項을 다음과 같이 하며, 同條第2項을 削除한다.

　①이 法에서 "反國家團體"라 함은 政府를 僭稱하거나 國家를 變亂할 것을 目的으로 하는 國內外의 結社 또는 集團으로서 指揮統率體制를 갖춘 團體를 말한다.

第3條第5項중 "第1項第3號 및 第2項의 罪"를 "第1項第3號의 罪"로 한다.

第4條第1項第2號를 다음과 같이 하고, 同項第3號중 "刑法 第115條·第147條"를 "刑法 第115條·第119條第1項·第147條"로 하며, 同項第6號중 "虛僞事實을 捏造·流布 또는 事實을 歪曲하여 傳播한 때에는"을 "허위사실을 捏造하거나 流布한 때에는"으로 한다.

　2. 刑法 第98條에 規定된 행위를 하거나 國家機密을 探知·蒐集·누설·傳達하거나 仲介한 때에는 다음의 구별에 따라 處罰한다.

　가. 軍事上 機密 또는 國家機密이 國家安全에 대한 중대한 불이익을 회피하기 위하여 한정된 사람에게만 知得이 허용되고 敵國 또는 反國家團體에 秘密로 하여야 할 사실, 물건 또는 知識인 경우에는 死刑 또는 無期懲役에 處한다.

　나. 가目외의 軍事上 機密 또는 國家機密의 경우에는 死刑·無期 또는 7年이상의 懲役에 處한다.

第5條第2項을 다음과 같이 하고, 同條第5項을 削除한다.

　②國家의 存立·安全이나 自由民主的 基本秩序를 危殆롭

0060

게 한다는 情을 알면서 反國家團體의 構成員 또는 그 指令을 받은 者로부터 金品을 收受한 者는 7年이하의 懲役에 處한다.

第6條第1項을 다음과 같이 하고, 同條第3項을 削除하며, 同條第4項中 "第1項 내지 第3項"을 "第1項 및 第2項"으로 하고, 同條第6項중 "第2項 및 第3項"을 "第2項"으로 한다.

①國家의 存立·安全이나 自由民主的 基本秩序를 危殆롭게 한다는 情을 알면서 反國家團體의 支配下에 있는 地域으로부터 潛入하거나 그 地域으로 脫出한 者는 10年이하의 懲役에 處한다.

第7條第1項을 다음과 같이 하고, 同條第2項을 削除하며, 同條第3項中 "第1項 및 第2項"을 "第1項"으로 하고, 同條第4項중 "虛僞事實을 捏造·流布 또는 事實을 歪曲하여 傳播한 者"를 "허위사실을 捏造하거나 流布한 者"로 하며, 同條第5項중 "第1項 내지 第4項"을 "第1項·第3項 또는 第4項"으로 하고, 同條第6項중 "第1項 내지 第5項"을 "第1項 또는 第3項 내지 第5項"으로 하며, 同條第7項중 "第1項 내지 第5項의 罪"를 "第3項의 罪"로 한다.

①國家의 存立·安全이나 自由民主的 基本秩序를 危殆롭게 한다는 情을 알면서 反國家團體나 그 構成員 또는 그 指令을 받은 者의 活動을 讚揚·鼓舞·宣傳 또는 이에 同調하거나 國家變亂을 宣傳·煽動한 者는 7年이하의 懲役에 處한다.

第8條第1項을 다음과 같이 하고, 同條第2項을 削除하며, 同條第3項中 "第1項 및 第2項"을 "第1項"으로 하고, 同條第4項을 削除한다.

①國家의 存立·安全이나 自由民主的 基本秩序를 危殆롭게 한다는 情을 알면서 反國家團體의 構成員 또는 그 指令을 받은 者와 會合·通信 기타의 방법으로 連絡을 한 者는 10年이하의 懲役에 處한다.

第9條第1項 및 第2項중 "이 法의 罪"를 각각 "이 法 第3條 내지 第8條의 罪"로 하고, 同條第5項을 削除한다.

第10條를 다음과 같이 한다.

第10條(不告知) 第3條, 第4條, 第5條第1項·第3項(第1項의 未遂犯에 한한다)·第4項의 罪를 범한 者라는 情을 알면서 搜査機關 또는 情報機關에 告知하지 아니한 者는 5年이하의 懲役 또는 200萬원이하의 罰金에 處한다. 다만, 本犯과 親族關係가 있는 때에는 그 刑을 減輕 또는 免除한다.

第14條중 "併科한다"를 "併科할 수 있다"로 한다.

第16條第3號를 削除한다.

第23條를 다음과 같이 한다.

第23條(報償) 이 法의 罪를 범한 者를 申告 또는 逮捕하거나 이에 관련하여 傷痍를 입은 者와 死亡한 者의 遺族은 大統領令이 정하는 바에 따라 國家有功者禮遇등에관한法律에 의한 公傷軍警 또는 殉職軍警의 遺族으로 보아 報償할 수 있다.

第24條第1項중 "援護對象者"를 "報償對象者"로 한다.

附　則

①(施行日) 이 法은 公布한 날부터 施行한다.

②(經過措置) 이 法 施行전의 행위에 대한 罰則의 適用에 있어서는 종전의 規定에 의한다.

③(經過措置) 이 法 施行전에 國家保安法의 罪를 범하여 有罪의 判決을 받은 者는 이 法에 의하여 有罪의 判決을 받은 者로 본다.

◇國家保安法 改正理由

金品收受罪, 潛入·脫出罪, 讚揚·鼓舞罪, 會合·通信罪등의 구성요건에 憲法裁判所의 限定合憲決定趣旨를 반영하여 國家의 存立·安全이나 自由民主的 基本秩序를 危殆롭게 하는 행위만을 處罰하도록 함으로써 立法目的과 規制對象을 구체화하고 南北交流協力에관한法律과의 適用限界를 명백히 하는 동시에 國家保安法에 의한 處罰對象을 축소함으로써 基本的 人權을 最大限 보장하고 「民族自尊과 統一繁榮을 위한 大統領特別宣言」(7·7宣言)에 따른 對北政策의 효율적인 推進을 적극 뒷받침하려는 것임.

◇主要骨子

1. 國家保安法을 解釋適用함에 있어 國民의 基本的 人權을 最大限 보장하여야 한다는 規定을 新設함.

2. 反國家團體의 범위를 현재는 政府를 참칭하거나 國家를 變亂할 것을 目的으로 하는 國內外의 結社 또는 集團으로 하고 있으나, 앞으로는 이와 같은 結社 또는 集團으로서 指揮統率體制를 갖춘 團體만으로 限定하여 國家保安法의 適用對象이 되는 反國家團體의 범위를 縮小함.

3. 金品收受, 潛入·脫出, 讚揚·鼓舞, 會合·通信行爲에 대하여는 憲法裁判所의 限定合憲決定 趣旨를 적극적으로 受容하여 國家의 存立·安全이나 自由民主的基本秩

19

0061

序를 危殆롭게 한다는 情을 알면서 행한 경우만을 處罰對象이 되도록 함.

4. 國外共産系列과 관련된 潛入·脫出, 讚揚·鼓舞, 會合·通信등의 行爲는 處罰對象에서 제외함.

5. 國家機密의 범위를 「國家의 安全에 중대한 不利益을 회피하기 위하여 限定된 사람만이 接近할 수 있는 知識」등과 그 밖의 것으로 細分함.

6. 不告知罪에 있어서는 反國家團體構成罪, 目的遂行罪, 自進支援罪등에 대한 不告知만을 處罰하도록 하고, 그외 金品收受, 潛入·脫出, 讚揚·鼓舞·同調, 會合·通信, 便宜提供에 대한 不告知는 處罰對象에서 除外하며, 反國家事犯과 親族關係에 있는 者가 不告知罪를 犯한 경우 현재에는 任意的으로 刑을 減免할 수 있도록 하고 있으나, 앞으로는 刑을 반드시 減輕 또는 免除하도록 함.

7. 反國家團體加入勸誘, 讚揚·鼓舞·同調, 虛僞事實捏造·流布, 利敵表現物 所持, 會合·通信, 便宜提供의 罪에 대한 豫備·陰謀는 處罰對象에서 除外함.

8. 反國家事犯에 대하여 有罪判決을 하는 경우에는 資格停止刑을 반드시 倂科하도록 하던 것을 法院의 判斷에 따라 倂科與否를 決定할 수 있도록 함.〈법제처 제공〉

국회에서 의결된 군인사법중개정법률을 이에 공포한다.

대통령 노태우 ⑪
1991년 5월31일
국무총리 정원식
서 리
국무위원
국방부장관 이종구

◉法律 第4,374號
軍人事法中改正法律

軍人事法中 다음과 같이 改正한다.

第5條의2를 다음과 같이 新設한다.

第5條의2(轉軍) ①國防部長官은 戰時·事變등의 國家非常時 또는 軍組織의 改編으로 軍間의 人力調整이 필요할 때에는 大統領令으로 정하는 轉軍審査委員會의 審議를 거쳐 所屬軍을 변경(이하 "轉軍"이라 한다)하여 服務하게 할 수 있다.

②第1項의 規定에 의하여 轉軍되어 服務하는 者는 轉軍되었음을 이유로 불리한 處遇를 받지 아니하며, 그의 義

務服務期間은 轉軍되기 전의 義務服務期間으로 한다. 다만, 轉軍되기 전의 義務服務期間이 轉軍된 軍의 義務服務期間보다 長期인 경우에는 轉軍된 軍의 義務服務期間으로 한다.

第7條第3項중 "軍委託生(現役將校인 軍委託生을 제외한다)"을 "軍獎學生"으로 하고, 同條第4項중 "軍委託生"을 "軍獎學生"으로 한다.

第11條第2項第4號 本文중 "大學 및 師範大學"을 "大學·教育大學 및 師範大學"으로 하고, 同項同號 但書중 "在學生徵兵檢査를"를 "在學生入營의"로 한다.

第12條第1項 但書중 "該當하는 者의"를 "해당하는 者 및 第11條第1項第6號에 해당하는 者의"로 한다.

附 則

①(施行日) 이 法은 公布한 날부터 施行한다.

②(軍委託生에 관한 經過措置) 이 法 施行 당시 종전의 第7條第3項 및 第4項의 規定에 의하여 軍委託生으로 소정의 課程을 履修하고 短期服務將校 또는 下士官으로 任用되어 服務중인 者는 이 法에 의한 軍獎學生으로 소정의 課程을 履修하고 短期服務將校 또는 下士官으로 任用되어 服務중인 者로 본다.

③(越南歸順勇士에 관한 經過措置) 이 法 施行 당시 越南歸順勇士特別報償法 第6條의 規定에 의하여 國軍將校로 任用되어 服務중인 越南歸順勇士는 第12條第1項 但書의 改正規定에 의하여 任用된 것으로 본다.

◇軍人事法 改正理由

軍人이 所屬軍을 변경하여 服務하여야 할 필요성이 있는 경우 이에 적용할 根據規定이 미비되어 있으므로 이를 補完하고, 越南歸順勇士로서 國軍將校에 任用된 者가 進級 및 報酬에 있어서 惠澤을 받을 수 있도록 하려는 것임.

◇主要骨子

1. 國防部長官은 戰時·事變등의 國家非常時 또는 軍組織의 改編으로 軍間의 人力調整이 필요한 경우에는 大統領이 정하는 轉軍審査委員會의 審議를 거쳐 軍人의 所屬軍을 변경하여 服務하게 할 수 있도록 하고, 所屬軍의 변경으로 인하여 불리한 處遇를 받지 아니하도록 함.

2. 越南歸順勇士로서 國軍將校에 任用된 者의 初任階級을 中尉이상으로 하는 根據規定을 마련함으로써 進級 및 報酬에 있어서 惠澤을 받을 수 있도록 함.

〈법제처 제공〉

20

0062

「유엔 同時가입」 国会 보고·질문

⑧

「南北 새關係」 전망·대책 따져

불가침·平和協定 서두를 용의 없나
8월初 가입신청… 友邦과 협의 확정

◇與野는 30일부터 공천자대회를 갖는등 광역의회선거전에 본격 돌입했으나 갖가지 공천후유증에 시달리고 있다. 사진은 공천결과에 불만을 품고 중앙당사에서 농성을 벌이는 신민당의 서울恩平區 당원들.

0063

南北韓 유엔가입 대비
保安法등 정비 불가피

相互실체인정 「敵對규정」손질
유엔司존폐-休戰협정도 대상

동아일보
(1991. 5. 31. 금.1면)

남북한 유엔 동시가입 불구
현행 보안법 안고친다

최부총리 "북한 반국가단체 규정 개정 고려 안해"

최호중 부총리 겸 통일원장관은 30일 남북한의 유엔 동시가입에도 불구하고 북한을 반국가단체로 규정한 현행 국가보안법의 개정을 고려할 수 없다고 밝혔다.

최 부총리는 북한이 유엔가입을 통해 '회원국간 불가침' 내용을 담고 있는 유엔헌장의 준수를 표명한다고 해도, 지난해 고위급회담에서 북쪽이 제의한 불가침선언(안)을 그대로 받아들이기는 어렵다는 입장을 분명히 했다.

그는 이날 오전 기자들과의 간담회에서 "북한은 유엔가입 발표에도 불구하고 〈평양방송〉 논평을 통해 그들의 통일정책이 불변임을 밝히고 있다"면서 "남한 당국을 괴뢰로 규정하고 정권타도를 위한 궐기를 선동하는 등 기존의 대남 전복전략에 변화가 없는 상황에서 국가보안법 개정 등을 고려할 수는 없다"고 말했다.

그는 또 불가침선언과 관련, "불가침조약은 그것이 지켜질 수 있고 상호 신뢰할 수 있는 실효성이 전제돼야 한다"면서 "고위급회담이 재개되면 실효성 보장에 관한 문제들을 다시 중점 협의할 것"이라고 밝혔다.

9900

주한 유엔사 해체 불가피

정부 미군사령부가 역할 승계 검토

정부는 남북한의 유엔 동시가입이 실현될 경우 국제법상 주한 유엔군사령부의 해체가 불가피하다는 것으로 보고 주한 유엔사의 해체에 따른 대책을 마련하고 있으며 주한미군 실무당국이 이를 위한 실무작업을 한미간 협의가 이루어질 것으로 알려졌다.

정부의 한 당국자는 30일 "유엔 동시가입으로 남북한이 국가 성이 유엔에 의해 인정될 뿐 아니라 미국과 중국을 포함한 한국 전쟁 당사국이 모두 유엔에 가입하는 결과를 내게 된다"면서 "이 경우 유엔체제에 의거 한 주한 유엔사의 설치 근거(50년 7월7일 안보리 결의)이 사실상 소 멸되기 때문에 유엔사의 해체가 불가피하게 된다"고 밝혔다.

이 당국자는 그러나 한반도에 현재의 균형을 부담하게 깨거 전체의 변경되지 않는다는 방법으로도 볼 수 있는

체로 모색해야 한다는 게 정부의 방침"이라며 "해체는 지난 75년 제30차 유엔총회에서 유엔사의 해체여 동의하되 이를 대신한 여 휴전체제의 존속을 담보할 세기구가 필요하다고 제안한 있어 이를 바탕으로 대체의 마련 될 수 있을 것"이라고 말했다.

이는 주한 유엔사를 해체하되 한미상호방위조약 등 한·미간 쌍 무조약을 새로운 근거로 해 주한 미군사령부가 사실상 유엔사의 역 할을 이어받는 방안을 검토하고 는 것으로 해석된다.

이와 관련 또다른 당국자는 "유 엔사의 설치와 주둔은 유엔총회 의 결의에 따른 것이어서 남북한 동시가입으로 국제법상 효력이 상실되는 것으로 해석된다"면서 "그러나 동시가입(양쪽의)으로든지 지난 40년 동안 엄연히 존재해온 한 양당사자가 국가들과의 쌍무조 약은 다른 국가들과의 관계를 가질 수 있

다른 제 국제법상 해석이라고 말했다.

한편 이 당국자는 "유엔 군축 의 동북아 역할산방지 문제가 대 두되고 있는 상황에서 북한이 유 엔사철을 받으므로 경우 한반도 비핵지대화에 따 른 것"이라고 말했다.

수반에 없을 것"이라며 · 최근 북 한의 입장과 유엔가입 발표에 대 한 미국의 반응이 미온적인 것 도 주목해야 할 것"이라고 말했다. 특 히 관련, 한 당국자는 "미국 측이 이미 한반도 비핵지대화에 따 른 문제제기가 불가피하다는 것으로

보고 대책을 마련중인 것으로 석되고 있다"면서 · 최근 한·미간 경색을 전후해 전시 미국 고위관 리나 학자들 사이에서 '한반도 비 핵무기가 배치될 이유가 있다느 방언이 흘러나오는 데 주목할 필 요가 있다"고 강조했다.

ILO 자동가입 대비
노동관계법 개정 추진

정부는 앞으로 南北韓의 유엔가입이 이뤄져 자동적으로 국제사법재판소(ICJ)의 「규정당사국」이 될 경우에 대비, ICJ가 규정하고 있는 분쟁의 강제관할권조항의 전부로 수용하는 문제를 신중히 검토중인 것으로 30일 알려졌다.

현행 ICJ규정에 따르면 ICJ는 규정당사국간의 국제분쟁발생시 분쟁국들이 ICJ재판에 응하기로 상호 동의할 경우에만 재판권을 행사할 수 있는 「임의관할권」, 분쟁당사국이 사전에 ICJ가 재판권을 행사하기 위해서는 규정당사국이 반드시 「강제관할권조항의 수락을 선언토록」하고 있다.

정부는 이에 따라 유엔가입후 ICJ가 규정하고 있는 강제관할권조항을 수용하되 「우리나라가 ICJ규정당사국이 되기 이전에 발생한 국제분쟁과 영토분쟁에 대해서는 재판에 응하지 않는다」는 단서조항을 둘 방침이라고 관계자들이 30일 밝혔다.

또 유엔가입의 경우 우리나라가 아직 가입치 않고 있는 유엔국제노동기구(ILO)의 자동회원국이 되는 점에 감안해 우리의 노동조합법 노동쟁의조정법 노동관계법과 ILO규약과의 저촉여부를 검토, 필요할 경우 일부 국내법의 개정할방침인 것으로 전해졌다.

정부관계자들은 「우리나라가 유엔에 가입하게 되면 ICJ의 강제관할권 수락여부의 문제가 대두되나 현재 ICJ규정당사국 중 1백62개국의 49개국 정도가 강제관할권을 수락한 나라」라고 말하고 「그러나 우리의 입장은 강제관할권을 수용하되 대부분의 나라와 같이 조건을 붙여 선택적으로 수락하게 될 것」이라고 말했다.

0068

조선일보
(91.5.31. 4면)

"實體인정없이 가입… 분단 고착"

独先「상호認定」참고해야

南北韓「화해·協力 기본합의」先決

独逸 통일과정과 韓半島 비교

남-북한 유엔 동시가입 결정으로 조성된 통일무드에 대해 성급한 기대나 환상을 경계해야 한다는 지적이 제기되고 있다. 남-북한이 동시에 유엔에 가입할 경우의 기대 효과는 일일이 열거할 필요가 없을 정도로 많다. 특히 모든 분쟁의 평화적해결을 천명하고있는 유엔 憲章을 양측이 모두 준수할경우 한반도는 국제정치 무대에서 더이상 「마지막 남은 冷戰지대」또는 「세계의 화약고」라는 불명예스런 호칭을 듣지 않아도 되게 될 것이며 실질적으로도 한국인들은 전쟁의 공포에서 비로소 벗어날 수 있게 될 것이다.

전문가들은 그러나 다음과같은 이유에서 성급한 환상은 금물이라고 말하고 있다. 순서를 지키지 않고 병정해지지 않을경우 남-북한 동시 유엔가입은 통일로 가는 길목이라기 보다는 오히려 분단의 고착화로 갈 가능성도 배제할수 없다는 것이다. 첫째 유엔가입 그 자체가 평화를 가져온다는것은 아니라는 인식은 매우 중요하다. 유엔가입국간의 전쟁은 항용 있을수 있으며 실제로 비일비재하다. 둘째 유엔가입의 전제조건이 완전하고 충분하게 충족되어야 한다. 전제조건이란 다름아니라 상호간에 국가로서의 실체를 인정하는 것이다. 이와 관련, 統独의 과정은 많은 시사점과 함께 교훈을 주고있다. 東·西独의 경우 유엔에 가입하기 1년 전인 72년 11월 상호 국가적 실체를 인정하는 토대 위에서▲현존 국경선 인정▲상호 무력 불사용▲군비축소 회담 개최▲상호교류 등에 관한 기본조약을 맺었다. 즉 당사자간에 먼저 상대방을 인정한 다음 국제사회에서 국가로서의 실체를 인정받는 수순을 밟은 것이다.

기본조약 체결 이후 兩独 정부가 가장 주력한 부분은 모든 分野에서의 상호교류 문제였다. 兩独 정부는 수시로 실무접촉을 갖고 수많은 合意書, 議定書를 교환했다. 이 가운데 중요한 것들로는 우편 및 전신교류, 非상업적 지불 및 清算관계 등에서의 합의, 경계선 위원회활동의 결과및 文化협정등을 들수 있다. 兩独間 교통조약은 기본협정 체결이전에 맺어졌다.

그러나 무엇보다도 동-서독간의 벽을 허물 수 있게 한 원동력은 활발한 人的 교류와 TV 상호개방 등이었던 것으로 평가되고 있다. 기록에 따르면 기본조약이 체결되기 전인 67년11월부터 72년10월까지 월평균 兩独 상호방문자수는 10만5천명이었으나 조약체결 후인 72년11월부터는 24만6천명으로 2배이상 증가했다. 정치적 통일이전에 이미 사회 경제적인 統合이 이루어진 셈이었다. 그럼에도 불구하고 동서독이 통일되는 데에는 기본협정 체결로 부터는 18년, 유엔 동시가입으로부터는 17년이란 기간이 필요했다. 뿐만 아니라 상호교류에 관한 기본조약이 체결되어 그 효력이 발효중인 바로 그 기간동안 베를린 장벽을 넘으려던 수많은 독일인들이 숨졌으며 양국 정상회담이 70년의 브란트-슈토프 회담 이후 11년만인 81년에야 열릴 정도로 상호 적대와 불신의 늪에 빠지는 우여곡절을 겪어야 했다.

그러나 南北韓의 경우는 아직 상호간에 신뢰구축은 커녕 상대방을 공식적으로는 전혀 국가적 실체로서 인정하지 않고있는 상황에서 먼저 유엔에 동시 가입하게 됐다. 이경우 이제까지의 南北 대화진전과정으로 미루어 상호간에 주장하고 있는 통일방식의 차이를 확대 재생산할 가능성은 얼마든지 있으며, 이렇게 될 경우 先유엔 동시가입은 분단의 고착화로 갈 소지도 없지 않다. 유엔에 가입했다 해도 남-북한 간의 문제는 또다시 당사자간의 문제로 되돌아올 수 밖에 없기 때문이다. <金孝在기자>

與野 노동관계法 개정검토

UN이어 ILO加入 대비 複數노조허용등 논란

오는9월 우리나라의 유엔가입이 확실시됨에 따라 ILO(국제노동기구)가입 문제가 대두되면서 노동조합법 노동쟁의 조정법등 노동관계법의 개정여부에 관심이 모아지고 있다.

이와관련, 與野는 ILO의 조약과 상충되는 노동관계법일부의 개정을 검토하고 있으나 공무원과 교사들에 대한 단결권 인정문제, 복수노조 허용문제등 정치성 조항을 둘러싸고 큰 견해차를 보이고있다.

民自黨의 한 정책관계자는 1일 「ILO가 복수노조 허용을 회원국에 권하고, 단결권부여에도 일체제함을 두지않고 있으나 이는 ILO가입을 위한 의무조항이 아니다」고 말하고 「따라서 현재로서는 ILO 가입을위한 노동관계법 개정을 검토하고 있지 않다」고 밝혔다.

이 관계자는 이어 「ILO회원국 가운데서도 전체의 3분의 2 절의 국가들만이 복수노조를 허용하고 있는 것으로 알고있다」고 덧붙였다.

이에대해 新民, 民主등 野黨들과 재야단체들은 유엔가입에 이은 ILO가입을 계기로 공무원및 교사에 대한 단결권과 복수노조 허용을 강력히 주장, 民自黨의 노동관계법개

정은 복수노조 허용 문제등 개별조항에 대해서는 가입후 해당국가의 의사에 따라 비준여부를 정하도록 돼있다.

현재 ILO규정에는 가입청국이 유엔회원국인 경우에는 신청서만 제출하면 자동적으로 회원국이 되나, 복수노조 허용문제등 노동관계법개정이 선행돼야 한다고 고지하고 「필요한 경우 노조의 정치참여도 함께 허용돼야 합친」이라고 주장했다.

현재 ILO규정에 강력히반발하고있어 논란이 예상된다. 新民黨의 文東煥의원은 지난달 30일의 국회외무통일위에서 질의를 통해 「우리나라가 ILO에 가입하기 위해서는 노동관계법개

D.P. O'connell   Vol. 1.

Modes of Recognition 155

Vietnam, has exchanged representative missions, therewith, and the property of the North Vietnamese mission in Paris has been held to be immune from execution.[90]

(b) The entry into treaty relationships with unrecognised governments

The presumption of recognition is much stronger when a State enters into bilateral agreement with an unrecognised government than when that government is merely a party to a multilateral pact to which the State in question is also a party; and it is stronger when that government is an original contracting party than when it merely deposits an instrument of accession. Soviet Russia acceded to the Kellogg-Briand Pact, 1928,[91] without committing America to recognition. Great Britain even negotiated an agreement with the Soviet concerning prisoners of war,[92] a year before it entered into the Trade Agreement of March 16, 1921, which has been taken as the date of her recognition of the Soviet as the Government *de facto* of Russia. One might even say that agreements could be entered into with Eastern Germany without involving recognition, at least provided they were not intended as a general and permanent settlement of the political situation taken account of in the western non-recognition policy. Manchukuo and Russia concluded an agreement for the cession of Russian rights to the North Manchurian Railway.[93] Recognition is excluded if a rider is added to the effect that participation in the treaty does not amount to recognition,[94] but the converse is not true, and omission of the rider is not itself sufficient to raise more than a rebuttable presumption of recognition. Much seems to depend upon whether the intercourse between the governments is such as to put their relationship in general on the basis normal in international affairs.[95]

(c) Recognition and membership of international organisations

There is something illogical in the idea that governments can refuse to recognise each other and yet sit down together at the same table as members of an international organisation, yet such indeed is the case.[96] Some writers

[90] *Clerget v. Représentation commerciale de la République démocratique du Vietnam*, Clunet, Vol. 95 (1968), p. 55.
[91] L.N.T.S., Vol. 94, p. 57; U.S.T.S., 796; 46 Stat. 2343; Cmd. 3410.
[92] L.N.T.S., Vol. I, p. 264.
[93] A.J., Vol. 30 (1936), Supp., pp. 85, 97.
[94] As, e.g., the United States rider to the signature of the International Sanitary Convention, 1926, Hudson, Int. Leg., Vol. 3 (1931), p. 1975.
[95] McNair, "The Functions and Differing Legal Character of Treaties," B.Y.I.L., Vol. II (1930), p. 109; Briggs, "*Relations officieuses* and Intent to Recognise," A.J., Vol. 34 (1940); Hudson, "Recognition and Multipartite Treaties," *ibid.* Vol. 23 (1929); Bot, *Nonrecognition and Treaty Relations* (1968).
[96] Aufricht, "Principles and Practices of Recognition in International Organisations," A.J., Vol. 43 (1949); Fitzmaurice, "Chinese Representation in the United Nations," *Year Book of World Affairs*, Vol. 6 (1952); Graham, *League of Nations and the Recognition of States* (1933); Yuen-Li Liang, "Recognition by the United Nations of the Representation of a Member State; Criteria and Procedure," A.J., Vol. 45 (1951); Potter, "Communist China: Recognition and Admission to the United Nations," *ibid.* Vol. 50

0070

76   남북한 유엔 가입 국내 절차 진행 1

have suggested that the admission of a non-recognised State or government into the counsels of such an organisation implies recognition, at least for those members who vote for it.[97] A Luxembourg court even held that Luxembourg had been committed to recognition of the Soviet through the latter's admission to the League of Nations, although the Luxembourg delegation had refrained from voting.[98] However, politics and not logic have dominated the solution to the problem, and the result is the rule that co-membership, even of the United Nations, does not involve recognition. The rule is particularly illogical in that the United Nations Charter allows membership only to States, and decision on membership would seem to be conclusive on the question of *de facto* Statehood. Yet the Arab States continue to deny recognition to Israel as a State.

The problem arose early in the life of the League of Nations. Article 10 of the Covenant, with its guarantees of duty of members one to another, led some to conclude that admission as a member implied recognition on the part of other members. However, Colombia in 1920 announced that her acceptance of Article 10 did not imply recognition of Panama.[99] Other nations asserted the right to continue to refuse recognition to the Soviet.[1] The Committee of Jurists was divided on the point.[2] Of the new members admitted at the first Assembly only Bulgaria had a government recognised by all. Costa Rica's Government was recognised by only thirteen. The chairman uttered the only possible sentiment when he said the Committee did not allow itself to be hampered by the legal consideration of recognition. A questionnaire was issued on the conditions of membership, which raised the issue of recognition as a prerequisite of membership, but the information obtained led to no action. Frequent debates were held on the question whether admission to the League implied recognition of the new member by the old. Argentina, Belgium and Switzerland did not recognise Russia after her admission in 1934, and distinguished their position by the argument that a vote for admission is no more than recognition for the purposes of the organisation. From the converse position members at the 17th Assembly did not accept the Italian argument that Ethiopia having ceased to exist the Ethiopian delegation should not be admitted. The Credentials Committee recommended that "the Assembly should consider the credentials presented by the Ethiopian delegation, despite the doubt as to their regularity, as sufficient to permit the delegation to sit at the present session," without prejudice to the future. They justified this recommendation on the ground that the credentials had been issued before the facts altered and that the present position was not clear.[3]

(1956); Rosenne, "Recognition of States by the United Nations," B.Y.I.L., Vol. 26 (1949); Alexy, "Die Beteiligung an multilateralen Konferenzen, Verträgen und internationale Organisationen als Frage der indireketen Anerkennung von Staaten," Z.f.a.ö.R.u.V., Vol. 26 (1966).

[97] *e.g.,* Kelsen, *The Law of the United Nations* (1950), p. 79.

[98] *U.S.S.R.* v. *Luxembourg and Saar Co.,* Ann. Dig., 1935–37, Case No. 33. Canada regarded its vote for the admission of Israel to the United Nations as tantamount to recognition, a view supported by Quincy Wright, "Some Thoughts about Recognition," A.J., Vol. 44 (1950). For French views see *Annuaire français,* 1962, p. 1023.

[99] U.S. For. Rel., 1920, I, p. 825.

[1] 1 14th Ass., 6th Cmtee., Sp. Supp., p. 130.

[2] L. of N. Recs., 1st Ass. Cmtees., Vol. 2, p. 160.

[3] L. of N. Off. J., 1938, pp. 335, 535.

0071

(i) *Recognition of new States by international organisations*

In its opinion on the *Admission of a State to the United Nations* the International Court of Justice dealt with the functions of each organ of the United Nations in determining the qualifications of Statehood.[4]

The organ concerned, however, may take cognition of an entity without recognising it. At the Conference of the Pan American Union unrecognised governments were invited to take a seat on the understanding that participation did not imply recognition by the organisation or its members.[5] At San Francisco in 1945 the Norwegian delegation proposed that the United Nations should have the power of recommending collective recognition, and collective withdrawal of recognition, but the proposal was withdrawn. It may be inferred that it was the intention of the framers of the Charter not to interpret admission as equivalent to collective recognition.

However, admission to membership of the United Nations may in some circumstances confer legal status upon the entity in question. The Soviet in 1944 gave certain autonomy to sixteen of the constituent republics of the Soviet, including the capacity to enter into direct relations with foreign States, conclude agreements and exchange diplomatic representatives. The autonomy, however, was not complete, since the U.S.S.R. would represent the Union in the conclusion and ratification of treaties, and the establishment of the general character of the relations between the Union and Foreign States. The capacity thus vested in Moscow negatived any presumption of sovereignty in the Republics. None the less, pursuant to agreement at Yalta, two of the sixteen, Ukraine and Byelorussia, were admitted as initial members of the United Nations and thereby were defined as "States." Recognition through membership, in this instance, would seem to be constitutive.

When a letter reaches the Secretariat of the United Nations, the latter must treat it as either from a State or from a private person. If it is from a State then, under the Rules of Procedure it must be brought to the attention of the Security Council. The Secretariat thus plays the same role in the cognition process as does the Foreign Office of a State. If it cannot make up its mind about whether the entity is a State or not it refers the matter to the appropriate organ for action and decision, as was done in 1948 with the case of Hyderabad.[6] The view has been taken that cognition of Statehood is dependent upon recognition of the entity by members, and that the Secretariat should not make its own inquiries.[7] The appropriate organs must determine the question if the entity seeks admission as a State[8] or seeks to bring a dispute before the General Assembly or the Security Council. In the debates on these questions members have tried to avoid having the issue presented as one of Statehood or non-Statehood for fear of implication of recognition,[9] but

---

[4] I.C.J. Rep., 1948, p. 57 at p. 62.   [5] Aufricht, *loc. cit.*, p. 679.   [6] U.N. Doc., S/986.
[7] Schachter, "Development of International Law through the Legal Opinions of the United Nations Secretariat," B.Y.I.L., Vol. 25 (1948), p. 110.
[8] U.N. Doc., S/PV/186.
[9] Indonesia, U.N. Doc., S/PV, 171; Israel, S/PV, 330, pp. 7–10.

0072

it is thought that any decision to issue an invitation by the Security Council under Article 32 of the Charter to a "State" not a member to participate in discussion, constitutes a form of recognition by the Security Council that the invitee is a State for the purposes of Article 32, which recognition may have considerable political importance when a new State is just emerging.[10] The Secretariat is also committed to limited forms of recognition when it registers a treaty under Article 102 sent in by a reputed "State," or when it asserts claims against a State under Resolution 365(iv) of December 1, 1949.

(ii) *Decision on credentials of rival governments*

During the Spanish Civil War certain members of the League dealt with the Nationalist Government generally, while in the League they dealt with the Republicans. In 1944 the National Committee of Liberation of Yugoslavia claimed the seat of that country in the ILO. The Credentials Committee reported that the National Committee not having been recognised by any members it should not displace the accredited delegation.[11] In 1949 the Soviet challenged the right of the Nationalist Government of China to occupy that country's seat in the United Nations and early in 1950 proposed a draft resolution that the Security Council should not recognise its credentials.[12] India pointed out the difficulties if each of the several organs of the United Nations went its own way in unseating the Nationalists, and proposed that the views of all members be sought. This obviously linked the problem to recognition, as Cuba pointed out when it argued that the question was more than one of credentials since these only certified the powers conferred by a State to its representatives, and involved the whole question of representation, which should be left to a decision of the organisation as a whole.

On March 8, 1950, the Secretary General released a memorandum on the subject which treated the problem of admission of a new State and change of delegations of existing members as one question in relation to recognition.[13] The memorandum began by demonstrating the essentially political character of recognition, and went on to reject the theory of collective recognition by the United Nations. It then distinguished membership and representation in the United Nations from recognition:

Since recognition of either State or government is an individual act, and either admission to membership or acceptance of representation in the organisation are collective acts, it would appear to be legally inadmissible to condition the latter acts by a requirement that they be preceded by individual recognition. . . . The members have made clear by an unbroken practice that (1) a member could properly vote to accept a representative of a government which it did not recognise, or with which it had no diplomatic relations, and (2) that such a vote did not imply recognition or readiness to assume diplomatic relations.

[10] Rosenne, *loc. cit.*, p. 442.
[11] Yuen-Li Liang, *loc. cit.*, p. 690.
[12] Rep., Vol. I, pp. 249–251; 267–271; Vol. II, pp. 11–13; Supp., pp. 111.
[13] U.N. Doc. S/1466; Jessup, "Parliamentary Diplomacy," *Hague Recueil*, Vol. 89 (1956), p. 251 *et seq.*

0073

AJIL Vol. 43. 1949

General Assembly are examined by the Credentials Committee composed of nine members. Pending the report of the Secretary General or a decision of the General Assembly which would bar delegates from participation in the General Assembly, a representative to whose admission a Member has raised objections must be seated provisionally.

8. *United Nations Relations with Spain*

Only in relation to Spain has the United Nations taken measures which may be designated as collective non-recognition. This non-recognition was incorporated into the General Assembly Resolution of December 12, 1946.[71] The General Assembly recommended *inter alia* that the Franco Government be debarred from membership in international agencies established by or brought into relationship with the United Nations; and that it be excluded from participation in conferences or other activities sponsored by the United Nations or its related agencies.[72] The General Assembly further recommended that all Members of the United Nations should immediately recall their diplomatic representatives, unless within a reasonable time a government could be established which would derive its authority from the consent of the governed, and would give reasonable assurance of freedom and democracy. This resolution was in substance reaffirmed by the Second General Assembly on November 17, 1947.

Not only is Spain under its present régime not eligible for membership in the United Nations, but it has been excluded also from membership in Specialized Agencies. On May 13, 1947, Spain was barred from membership in the International Civil Aviation Organization, by decision of the First Assembly of I.C.A.O., which adopted an amendment to the International Civil Aviation Convention having the effect of excluding Spain. This amendment will come in force when ratified by twenty-eight parties to the Convention. Since May 13, 1947, Spain has not been invited to participate in the work of the principal and subsidiary organs of the International Civil Aviation Organization.

9. *Participation of Non-Recognized Governments in United Nations Meetings*

The Government of Nicaragua, for instance, which came into power after a coup d'état on May 25, 1947, has participated in the meetings of the

[71] See General Assembly, First Session, Journal No. 75, Supp. A-64, Add. 1, pp. 825–826; also U. N. Doc. A/479, Nov. 14, 1947.
[72] See, however, Art. IV (2) of the Agreement between the United Nations and the International Monetary Fund: "Neither organization, nor any of their subsidiary bodies, will present any formal recommendations to the other without reasonable prior consultation with regard thereto. Any formal recommendations made by either organization after such consultation will be considered as soon as possible by the appropriate organ of the other."

principal and subsidiary organs of the United Nations; such participation, however, should not be construed as implied recognition of the Government of Nicaragua by the other Members of the United Nations.

The foregoing analysis permits the following conclusions:

1. States in the sense of international law may be recognized for the *purposes* of the organization even though they are not recognized by individual members of the organization.

2. Political entities other than states in the sense of international law may be recognized solely for the purpose of membership in inter-governmental agencies as evidenced by the Ukrainian Soviet Socialist Republic and the Byelorussian Soviet Socialist Republic and by those political entities, other than states, which are actual or potential members of the Universal Postal Union, the International Telecommunications Union, and the International Trade Organization ("separate customs territories").

3. Admission to membership by an international organization constitutes recognition of the state or the government by the organization, but only for the purposes of membership.

4. Admission to membership in an international organization does not constitute implied *de facto* or *de jure* recognition of a state or a government by the individual members of the organization.

5. Expulsion from membership, or withdrawal from membership, does not lead automatically to withdrawal of recognition of a state or a government on the part of the remaining members of the international organization concerned.

6. Non-recognition of a state or government by other states is not necessarily implied in a vote against the admission of a state or government in an international agency.

7. Express non-recognition of a régime can be voiced collectively by an international organization, as evidenced by the League of Nations Resolution on Manchoukuo in 1932, the Resolutions of the General Assembly of the United Nations on Spain, and the Resolution on Spain of the First Assembly of the International Civil Aviation Organization.

8. Recognition as a *de facto* or *de jure* government may be recommended as collectively to the individual members of an international organization as evidenced by the Resolution of the General Assembly of the United Nations, dated December 12, 1948, declaring the Government of the Republic of Korea as the lawful Government and the only such Government in Korea.[73]

9. Whether recognition of a government by an international organization has to be decided in the light of the actual status of the government and of the organic law of the agency concerned. Since the admission to membership is usually

[73] See U. N. Docs. A/788, Dec. 9, 1948, and A/806, Dec. 12, 1948.

0074

기 안 용 지

분류기호 문서번호	조약20411-	(전화 :　　　　　)	시 행 상 특별취급	
보존기간	영구·준영구. 10. 5. 3. 1.		장　　　관	
수 신 처 보존기간				
시행일자	1991·6·1·			

보 조 기 관	국　장	전 결	협 조 기 관		문 서 통 제
	심의관				1.C.01
	과　장				
	기안책임자	민경호			발 송 인
					1.C.01

경 유		
수 신	법재처장	발 신 명 의
참 조		

제　목	국제연합헌장

　　　　1·　당부는 금년중 우리나라의 국제연합가입 방침에 따라

국제연합헌장(국제사법재판소 규정포함,헌장 제92조 및 93조 참조)

수락을 위한 국내법적절차를 추진하고자 하니, 동 헌장수락에 관한

귀처의 의견을 조속 회시하여 주시기 바랍니다·

　　　　2·　국제연합헌장(제4조) 및 국제연합안전보장이사회 의사규칙

(제58조)에 따르면 국제연합가입 신청국은 가입신청서 제출시 국제연합

헌장상 의무를 수락하는 선언서(Declaration)도 제출하도록 되어있습니다·

　　　　3·　국제연합헌장 수락은 헌법 제60조 1항상의 '중요한 국제

0075

1505-25(2-1) 일(1)갑
85. 9. 9. 승인　　　"내가아낀 종이 한장 늘어나는 나라살림"

190mm×268mm 인쇄용지 2급 60g/㎡
가 40-41 1990. 5. 28

조직에 관한 조약'에 해당되어 국회동의절차를 취할 예정임을 참고

하시기 바랍니다.

   첨부 : 국제연합헌장 및 국제사법재판소 규정 각 3부

       (국문번역본 및 영문본) . 끝 .

0076

대 한 민 국
외 무 부

'-(720-2337)

1991 . 6 . 1

조약 20411-

수신 법제처장

제목 국제연합헌장

1. 당부는 금년중 우리나라의 국제연합가입 방침에 따라
국제연합헌장(국제사법재판소 규정포함, 헌장 제92조 및 93조 참조)
수락을 위한 국내법적절차를 추진하고자 하니, 동 헌장수락에 관한
귀처의 의견을 조속 회시하여 주시기 바랍니다.

2. 국제연합헌장(제4조) 및 국제연합안전보장이사회 의사규칙
(제58조)에 따르면 국제연합가입 신청국은 가입신청서 제출시 국제연합
헌장상 의무를 수락하는 선언서(Declaration)도 제출하도록 되어있습니다.

3. 국제연합헌장 수락은 헌법 제60조 1항상의 '중요한 국제조직에
관한 조약'에 해당되어 국회동의 절차를 취할 예정임을 참고 하시기
바랍니다.

첨부 : 국제연합헌장 및 국제사법재판소규정 각3부
(국문번역본 및 영문본). 끝.

외 무 부 장 관

0077

분류기호 문서번호	조약20411- 251		(전화 :)	시 행 상 특별취급	
보존기간	영구·준영구. 10. 5. 3. 1.		장 관		
수 신 처 보존기간					
시행일자	1991. 6. 3.				

보 조 기 관	국 장	전 결	협 조 기 관		문 서 통 제
	심의관				1.01. 6. 04
	과 장				
기안책임자	민경호			발 송 인	

경 유				
수 신	수신처 참조	발신명의		1.01. 6. 04
참 조				

제 목	국제연합헌장수락

1. 당부는 금년중 우리나라의 국제연합가입 방침에 따라

국제연합헌장(국제사법재판소 규정포함, 헌장 제92조 및 제93조 참조)

수락을 위한 국내법적 절차를 조속 추진하고자 하니(6.11. 차관회의,

6.13. 국무회의 긴급 상정 예정), 동 헌장수락에 관한 귀부(처)의 의견을

6.8.한 회보하여 주시기 바랍니다.

2. 국내절차 추진일정 관계로, 귀부(처)의 의견이 6.8.한 회보되지

않을 경우, 동 헌장수락에 관해 귀부(처)의 반대 의견이 없는 것으로

간주하고자 하니 양지하여 주시기 바랍니다. 끝.

0078

수신처:	경제기획원장관、 국토통일원장관、 국가안전기획부장、
	과학기술처장관、 환경처장관、 공보처장관、 국가보훈처장、
	내무부장관、 재무부장관、 법무부장관、 국방부장관、 교육부장관、
	문화부장관、 체육청소년부장관、 농림수산부장관、 상공부장관、
	동력자원부장관、 건설부장관、 보건사회부장관、 노동부장관、
	교통부장관、 체신부장관

0079

1505-25(2-2) 일(1)을 "내가아낀 종이 한장 늘어나는 나라살림"   190㎜×268㎜ 인쇄용지 2급 60g/㎡
85. 9. 9. 승인   가 40-41 1990. 5. 28

대 한 민 국
외 무 부

(720-2337)   1991. 5. 31.

조약 20411-

수신 수신처 참조

제목 국제연합헌장 수락

    1. 당부는 금년중 우리나라의 국제연합 가입방침에 따라 국제연합
헌장(국제사법재판소규정 포함, 헌장 제92조 및 제93조 참조) 수락을 위한
국내법적 절차를 조속 추진하고자 하니(6.11.차관회의, 6.13.국무회의 심의
긴급상정예정), 동 헌장수락에 관한 귀부(처)의 의견을 6.8.한 회보하여
주시기 바랍니다.

    2. 국내절차 추진일정관계로, 귀부(처)의 의견이 6.8.한 회보되지
않을 경우, 동 헌장수락에 관해 귀부(처)의 반대의견이 없는 것으로 간주
하고자 하니 양지하여 주시기 바랍니다. 끝.

외 무 부 장 관

국제기구조약국장 전결

수신처: 경제기획원장관, 국토통일원장관, 국가안전기획부장, 과학기술처
        장관, 환경처장관, 공보처장관, 국가보훈처장, 내무부장관,
        재무부장관, 법무부장관, 국방부장관, 교육부장관, 문화부장관,
        체육청소년부장관, 농림수산부장관, 상공부장관, 동력자원부장관,
        건설부장관, 보건사회부장관, 노동부장관, 교통부장관, 체신부장관

0080

長官報告事項

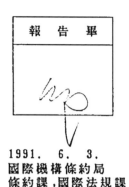

報告畢

1991. 6. 3.
國際機構條約局
條約課, 國際法規課

제 목: 유엔加入을 위한 國內節次 推進計劃

유엔加入 申請要件인 유엔憲章상 義務受諾을 위하여는

憲法規定상 國務會議審議 및 國會同意節次 完了 필요

- 6월중 國務會議審議, 國會批准同意節次 完了 추진

---

1. 國內節次 推進日程

6월中旬 國務會議審議, 6월말 國會批准同意

---

o 6. 4. 關係部處 실무회의 개최

   - 外務部, 經濟企劃院, 國土統一院, 法務部, 國防部

o 6. 7. 法制處 審査完了 및 國務會議案件 제출

o 6.11. 次官會議 審議

o 6.13. 國務會議 審議

o 6.20. 大統領 裁可

0081

2. 關係部處 實務會議시 檢討事項

憲章受諾에 따른 國內法的 문제점 存無검토

가. 安全保障理事會등의 軍事的 및 經濟的 制裁措置의 受諾 및
  履行상 문제점

나. 關聯 法的문제
  - 北韓의 國家承認문제
  - 休戰協定의 地位 및 유엔사 存續문제

다. 國際司法裁判所의 强制管轄權 受諾문제

  ※ 關係部處間 實務協議結果 필요시 黨政協議 개최

3. 유엔加入후 必要措置 檢討
  가. ICJ 强制管轄權 受諾問題
    ○ 유엔會員國은 ICJ規程 當然 當事國(憲章 제93조)
    ○ ICJ의 强制管轄權 認定을 위하여는 別途의 宣言 필요
     (規程 제36조)
     - 條件附 受諾宣言 가능

0082

나. 유엔特權·免除協約 加入문제

  ㅇ 韓·유엔간 兩者條約 체결(51.9월)

   - 아국내 유엔機構職員에 대한 特權·免除부여

  ㅇ 유엔加入시 상기 兩者條約 終了 및 유엔特權·免除協約 가입필요

   〔유엔特權·免除協約〕

    · 46.9월 發效

    · 유엔機構 및 동 職員에 대한 特權·免除 부여내용

    · 91. 5월현재 125개국 加入

다. 我國이 當事國인 條約·協定의 유엔事務局 登錄

  ㅇ 憲章 제102조 관련

※ ILO 憲章 受諾問題는 유엔加入후 檢討

       - 끝 -

국제연합헌장 수락에 관한 관계부처회의 보고

1991. 6. 4.
조 약 과

1. 일시 및 장소: 91.6.4. 15:00, 외무부회의실 (810호)

2. 참석자

   o 외 무 부: 조약심의관 이봉구(회의주재)

      조약과장 김은수

      국제법규과장 최정일 외 4인

   o 국토통일원: 통일정책실 제1정책관(과장) 조명균
   o 국 방 부: 국제법과장 장현길 중령
   o 법 무 부: 국제법무심의관실 김준규 검사
   o 경제기획원: (불참)

3. 토의내용

   o 안전보장이사회 및 총회의 군사적 및 경제적 제재조치의 이행상
      문제점, 북한의 국가승인문제, 휴전협정의 지위 및 유엔사 존속문제,
      국제사법재판소규정의 선택조항 수락문제등에 관한 별첨 외무부입장을
      설명
   o 관계부처, 외무부의견에 대하여 동의표명

첨부: 관계부처 회의자료. 끝.

0084

국제연합헌장 수락에 관한 관계부처회의자료

1991. 6. 4.

국 제 기 구 조 약 국
외 무 부

0085

I. 안전보장이사회 및 총회의 군사적 및 경제적 제재조치의 수락 및 이행상 국내법적 문제점 存無검토

1. 국제연합헌장 규정상 집단안전보장 조치

   가. 안전보장이사회의 조치

      o 잠정조치(제40조)

        제39조에 의거한 권고조치, 또는 제41,42조에 의거한 강제조치를
        결정하기 전에 관계당사국에 대하여 잠정조치에 따르도록 요청
        (call upon) 가능

      o 권고조치(제39조)

        평화에 대한 위협, 평화의 파괴 또는 침략행위가 있는 경우,
        국제평화와 안전의 유지, 회복을 위하여 권고조치(recommendations)
        가능

      o 비군사적강제조치(제41조)

        경제관계, 교통통신수단 및 외교관계의 단절을 포함하는 비군사적
        조치결정(제41조)

      o 군사적강제조치(제42조)

        - 비군사적 조치가 불충분한 경우, 국제연합회원국의 육.해.공군에
          의한 시위.봉쇄 및 다른 작전을 포함하는 군사적 조치를 실시

      o 국제연합군구성을 위한 특별협정 체결(제43조)

        - 안보리와 회원국간 체결

          (현재까지 특별협정이 채결되어진바 없어, 본래 헌장이 예정한
          진정한 의미의 국제연합군은 설치된 바 없음.)

0086

나. 총회의 조치

    ○ 총회는 평화유지에 관한 일반적 권한 보유(제10, 12조)

    ○ 안보리가 그 책임을 다하지 못한 경우에는 「평화를 위한 단결결의」
      (1950년 총회결의 377호 A1항)에 따라 국제평화.안전의 유지 또는
      회복을 위하여 <u>제재조치 권고가능</u>

다. 평화유지활동(Peace-Keeping Operation)

    ○ 총회 및 안전보장이사회는 집단적 제재조치가 아닌, 정전, 휴전의
      보장 및 실시, 국경감시, 법질서유지등의 현상유지를 목적으로
      하는 평화유지활동을 위하여 회원국에 권고가능

2. 국제연합군의 실례

  가. 집단적 제재조치성격

    ○ 派韓 국제연합군

      - 설치근거: 헌장 제39조에 의한 안전보장이사회의 권고결의
            (50.6.27.)

  나. 평화유지활동성격

    ○ 안전보장이사회의 결의에 의한 경우

      - ONUC (콩고사태, 60.7.14. 결의)

        UNICYP (키프로스사태, 64.3.4. 결의)

        UNDOF (제4차 중동전, 74.5.31. 결의)

        UNIFIL (레바논, 78.3.19.) 등

    ○ 총회의 결의에 의한 경우

      - UNEF (수에즈사태, 56.7.26.) 등

0087

3. 아국의 국제연합헌장 수락시 발생의무

　　가. 안전보장이사회의 강제조치 이행의무

┌───┐
│ 회원국은 안보리의 결정수락 및 이행의무(제25조) │
└───┘

　　　　ㅇ 안전보장이사회의 비군사적 강제조치(제41조) 및 군사적 강제
　　　　　 조치(제42조) 이행의무

　　　　　 - 군사적 강제조치 이행을 위하여는 특별협정체결이 선행
　　　　　　 되어야 함.

　　나. 안전보장이사회의 권고 및 잠정조치에 대한 협력의무
　　　　(제재조치 및 평화유지활동)

　　　　ㅇ 국제평화와 안전의 유지.회복을 위한 안전보장이사회의 권고
　　　　　 (제39조) 및 사태의 악화방지를 위한 잠정조치(제40조)에 대하여
　　　　　 헌장상 이를 이행할 법적의무는 없음.

　　다. 총회의 권고에 대한 협력의무(제재조치 및 평화유지활동)

　　　　ㅇ 「평화를 위한 단결결의」에 따른 집단적 제재조치의 권고 및
　　　　　 평화유지활동을 위한 총회의 권고를 이행할 법적의무는 없음.

4. 안전보장이사회 및 총회의 조치의 수락 및 이행상 국내법적문제점 有無

　　가. 안전보장이사회 및 총회의 군사적 조치의 경우

　　　　ㅇ 우리 헌법관련규정(전문 및 제4조)는, 우리나라의 국제평화
　　　　　 수호의 결의와 침략전쟁의 부인원칙, 국군의 국가안전보장의무등을
　　　　　 규정하고 있으므로, 국제평화와 안전의 유지를 위한 안전보장
　　　　　 이사회 및 총회의 군사적 조치의 결정 또는 권고를 이행하는 것은
　　　　　 헌법규정과 합치

0088

o 다만, 헌법 제60조 2항상, 국회는 국군의 외국에의 파견에 대한 동의권을 가지므로 <u>안전보장이사회 및 총회의 군사적 조치의 결정 또는 권고이행을 위하여 국군을 해외 파견하는 경우 국회의 사전 동의가 필요</u>

o 군사적조치에 관한 안보리 또는 총회의 <u>권고는</u> 강제적 성격을 띄고 있지 않으므로 동 권고를 <u>이행하지 않더라도 헌장 위반 행위는 아님.</u>

o 제42조에 의한 군사적 강제조치의 결정은 이행의 법적의무가 있으나 특별협정의 체결이 전제 조건임.

 - 특별협정체결을 위하여는 국회비준동의 필요

   ※ 관련헌법규정

     전 문 : 항구적인 세계평화와 인류공영에 기여

     제4조 1항 : 국제평화의 유지에 노력하고 침략적 전쟁을 부인

     제4조 2항 : 국군은 국가의 안전보장과 국토방위의 신성한 의무수행

     제60조 2항 : 선전포고, 국군의 외국파견, 외국군대의 한국 주류에 대한 국회의 동의권

나 . 안전보장이사회의 <u>비군사적조치의</u> 경우

   o <u>회원국은 다른 국제협정상의 의무에 우선하여 헌장상 의무를 이행하여야 함.</u> (제103조)

   o 비군사적 제재조치 대상국이 <u>국제연합회원국인</u> 경우 : 아국과 국제연합회원국인 제3국간 양자조약상 의무가 헌장상 의무와 상충되는 경우 헌장상 의무가 동 양자협정상 의무에 우선하므로 법적문제점 없음.

0089

o 비군사적 제재조치대상국이 <u>국제연합 비회원국</u>이고 아국이
   동국과 양자협정상 의무를 부담하고 있는 경우:
   아국이 안전보장이사회의 비군사적 조치의 결정에 따라 경제
   관계를 단절하는 것은 기존 양자협정상의 의무와 상충될 가능성
   존재

o <u>대외무역법, 외자도입법, 대외경제협력기금법</u>등 국내법상
   특정국가에 대한 국제연합헌장에 의한 경제제재조치의 근거 규정
   존무 검토필요. 끝.

1

0090

공   란

공   란

Ⅳ. 국제사법재판소규정 선택조항 수락문제

1. 선택조항의 내용

○ 선택조항(Optional Clause)이라고 통칭되고 있는 국제사법재판소규정 (規程) 제36조 제2항은 <u>동일한 의무의 수락을 선언한 규정당사국들 사이에서는 특별한 합의가 없어도 동 재판소의 강제관할권이 성립</u>된다고 규정하고 있음.

- 강제관할권 성립대상 분쟁: ① 조약의 해석 ② 국제법 문제 ③ 국제의무의 위반이 되는 사실의 존재 ④ 국제의무위반에 대한 배상의 성질 및 범위와 관련된 모든 법적분쟁

2. 선택조항 수락의 시기 및 방법

가. 수락의 시기

○ 재판소규정의 당사국이 됨과 동시에 또는 당사국이 된 이후에 어느때(at any time)라도 수락할 수 있음.

○ 당사국들의 수락시기는 유엔가입후 짧게는 1년 길게는 40년후에 수락을 하는등 일정하지 않으나 <u>최근에 유엔에 가입한 국가들은 통상가입 1-2년후에 수락선언을 하는 경향을 나타내고 있음.</u>

나. 방법

○ <u>선택조항수락 선언은 무조건부로 또는 일정한 유보를 담아서 할 수 있으며 일정한 기간을 정해서 할 수도 있음.</u>

3. 선택조항 수락현황 및 평가

가. 수락현황

○ 159개 유엔회원국과 3개 비회원국등 162개 규정당사국중 <u>선택조항을 수락하고 있는 국가는 총 49개국으로</u> 전체 당사국의 1/3에 미달함.

0093

- 안보리 5대 상임이사국중 현재 선택조항을 수락하고 있는 국가는 영국이 유일하며, 미국과 불란서는 과거에 행한 수락선언을 74년과 86년에 각각 철회한 바 있음.

- 또한 선택조항을 무조건부로 수락한 국가는 코스타리카·하이티· 니카라과·리히텐슈타인·스위스등 5개국에 불과함.

o 일본은 58.9.15.자로 선택조항을 수락하였으나 수락일 이후에 발생한 사실 또는 상황에 관한 분쟁에 대해서만 관할권을 인정한다는 유보를 행함.

나. 평가

o 선택조항(강제관할권)의 취지가 임의관할(합의관할) 원칙에 기초하고 있는 국제사법재판소의 기능을 보완하기 위한 것이나, 대다수 당사국들이 선택조항을 수락하지 않고 있으며 수락한 당사국의 경우도 거의 대부분 자국에게 불리한 사항에 관하여 유보를 하고 있어 국제사법재판소의 강제관할권은 사실상 본래의 기능을 수행하지 못하고 있음.

- 국제사법재판소 설립이후 강제관할권에 기해 제소된 사건은 12건뿐.

4. 대처방향(안)

가. 선택조항 수락여부

o 수락선언이 의무적이 아님에 따라 당사국 대다수가 선택조항을 수락 하지 않고 있으며, 수락국의 대부분도 유보를 달고 있어 아국이 수락 하더라도 실익은 별무하다고 봄.

* 예컨대 대한항공기 격추사건 제소를 위해 아국이 선택조항을 수락 하는 경우에도 소련의 미수락으로 인해 국제사법재판소의 강제 관할권성립이 불가능

o 그러나 유엔가입을 계기로 분쟁의 평화적 해결에 관한 아국의 의지를 새롭게 천명한다는 차원에서 적절한 유보를 달아 수락하는 방안을 긍정적으로 검토할 필요는 있다고 사료됨.

0094

나. 선택조항 수락시기(유엔가입과 동시 또는 그이후)

　　ㅇ 유엔가입 일정기간후에 수락하는 것이 수락국들의 일반적인 관행이며,
　　　수락에 앞서 유보내용등에 대한 면밀한 검토가 필요한 만큼. 유엔
　　　가입과 동시에 선택조항을 수락하는 것은 바람직하지 않다고 봄.

　　　- 특히 아국의 중대한 이해가 걸려있는 인접국가와의 잠재적 분쟁사항
　　　　(독도문제, 한·중대륙붕 경계획정문제등)의 제소가능성에 대비한
　　　　철저한 검토가 선행되어야 함.

　　ㅇ 따라서 선택조항 수락여부, 수락시 구체적인 유보내용 및 수락시기등에
　　　관한 결정은 유엔가입이후에 충분한 시간적 여유를 갖고 관련부처 및
　　　학계전문가와 긴밀한 협의를 거쳐 행하는것이 적절하다고 사료됨.

첨부: 국제사법재판소규정 주요글자

0095

국제사법재판소규정 주요골자

1. 이 규정은 5장 70개조로 구성되어 있음.

2. 주요내용

　가. 재판소의 지위 : 국제연합의 주요한 사법기관(제1조)

　나. 재판소의 조직 (제1장)

　　(1) 재판관의 구성 및 선출

　　　o 9년 임기의 15인의 독립적 재판관단으로 구성됨.

　　　o 국별재판관단이 지명한 명부중 총회 및 안전보장이사회에서
　　　　절대다수를 얻은자가 선출됨.

　　　o 총회와 안전보장이사회에 선출에 실패할 경우에는 이미 선출된
　　　　재판관들이 선출함.

　　(2) 재판관의 직무수행

　　　o 재판관은 직무외에 다른 어떠한 업무에도 종사할 수 없음.

　　(3) 정족수

　　　o 재판소 구성을 위한 정족수는 9인임.

　　(4) 소재판부 운영

　　　o 특정부류의 사건처리를 위한 3인이상의 소재판부 설치가 가능함.

　다. 재판소의 관할(제2장)

　　　o 국가만이 재판소에 제기되는 소송의 당사자가 될 수 있음.

　　　o 재판소의 관할은 임의관할(합의관할)이 원칙이나 제36조 제2항
　　　　(선택조항)을 수락한 당사국사이에서는 강제관할권이 성립함.

　　　o 일반적 또는 특별한 국제협약, 국제관습, 법의 일반원칙, 사법판결과
　　　　학설등이 재판소의 재판준칙이 됨.

0096

라. 소송절차 (제3장)

　　o 재판소의 공용어는 불어와 영어이며 재판소서기에 대한 특별합의의
　　　통고 또는 서면 신청으로 소송이 제기됨.

　　o 소송절차에는 서면소송절차와 구두소송 절차가 있음.

　　o 판결은 사건 당사국과 특정사건에만 구속력을 가짐.

　　o 단심으로 상소가 인정되진 않으나 새로운 사실이 발견될때에는 재심
　　　청구도 가능함.

마. 권고적의견 (제4장)

　　o 유엔기관의 요청시 권고적의견을 제시 할 수 있음.

바. 개정 (제5장)

　　o 헌장과 동일한 절차에 따라 개정됨.

　　o 재판관들도 규정 개정 제안권을 가짐.

0097

국제연합헌장 수락에 관한 관계부처회의

참가자

° 국토통일원 통일정책실 제1정책관(과장) 조명균

° 국방부 국제법과장 장현길중령

° 법무부 국제법무심의관실 김준규검사

° 경제기획원 불참

0098

국제연합헌장 수락안 국무회의상정

1. 수락 추진이유

   국제연합헌장은 동 헌장의 수락을 신회원국 가입요건의 하나로 규정

2. 국내절차 추진계획

   6.11. 차관회의 상정

   6.13. 국무회의 상정

   6.21. 대통령 재가

   6월말 국회동의절차 추진

3. 수락조치

   가입신청서 제출시 유엔사무총장에 수락 선언서(Declaration) 기탁

조 약 과

0099

25838

기 안 용 지

분류기호 문서번호	조 약20411-	(전화 :)	시 행 상 특별취급	
보존기간	영구·준영구. 10 . 5 . 3 . 1 .	차 관	장 관	
수 신 처 보존기간				
시행일자	1991.6.5.			
보조기관	국 장	협조기관	제1차관보 제2차관보	문 서 통 제 1. 1. 6. 10
	심의관			
	과 장			
기안책임자	김춘규		발 송 인	1991. 6. 10
경 유 수 신 참 조	건 의	발신명의		1991. 6. 10
제 목	국제연합헌장 수락(안) 국무회의상정			

　　　　"국제연합헌장"을 수락하기 위하여 동 안건을 별안과 같이

국무회의에 상정할 것을 건의합니다.

　　1. 수락의의

　　　　국제평화와 안전의 유지, 국가간의 우호관계의 발전 및 모든 분야

　　　　에서의 국제적 협력의 달성을 그 주요목적으로 하는 ~~국제공동체의~~

　　　　~~중심기구인~~ 국제연합에 가입함에 있어, 국제연합헌장은 신회원국

　　　　가입요건의 하나로 그 헌장을 수락할 것을 규정하고 있으므로

　　　　이 헌장상 규정된 의무를 수락하고자 함. 국제연합가입을 통하여

0100

아국은 국제사회의 책임있는 성원으로서의 정당한 역할과 의무를

다하고자 하며 국제연합의 목적과 원칙을 존중하는 가운데 모든

분야에서의 교류와 협력관계를 증진시키고 이를 토대로 한반도를

포함한 동북아지역의 ~~국제와 평화~~ 나아가 세계평화에 이바지하고자함.

2. 주요 내용 (헌장 : 전문 및 본문 111개조로 구성, 국제사법재판소

규정 : 70개조로 구성)

가. 국제연합헌장

(1) 국제연합은 국제평화와 안전의 유지, 각국간 우호관계의

촉진, 인권 및 기본적 자유의 존중, 국제적 협력 및

국가간 활동을 조화시키는 중심으로서의 역할을 그 목적

으로 함.(전문 및 제1조)

(2) 국제연합은 주권평등, 회원국의 헌장상 의무의 성실한

이행, 국제분쟁의 평화적 해결, 영토보전 또는 정치적

독립의 존중 및 무력 불사용, 국제연합조치에 대한

회원국의 원조 및 조치대상국에 대한 원조 삼가의무,

국내관할권 사항에 대한 불간섭등을 그 행동원칙으로 함.

(제2조)   0101

(3) 국제연합은 원회원국(51개국) 및 신회원국으로 구성되며,

신회원국의 경우 헌장상 의무의 수락, 헌장상 의무의 준수

의사와 능력의 보유 및 평화애호국일 것을 그 가입요건으로

규정하고, 그 가입승인은 안전보장이사회의 권고에 따라 총회가

결정함.(제3조-제6조)

(4) 국제연합은 주요기관으로 총회, 안전보장이사회, 경제사회

이사회, 신탁통치이사회, 국제사법재판소 및 사무국을 설치함.

(제7조-제32조, 제61조-제72조, 제86조-제101조)

(5) 국제평화와 안전을 유지하기 위한 목적을 달성하기 위하여

국제적 분쟁의 평화적 해결원칙 및 절차를 규정함.(제33조-제38조)

(6) 평화에 대한 위협, 평화의 파괴 및 침략행위등이 발생한 경우

국제연합은 이를 방지 또는 진압하기 위한 조치를 취함.

(가) 안전보장이사회는 상기 사태의 유무와 필요조치를 결정함.

(제39조)

(나) 안전보장이사회는 권고 또는 조치를 결정하기 전에 관계

당사국에 대하여 필요한 잠정조치를 요청할 수 있음.(제40조)

(다) 안전보장이사회는 그 결정을 집행하기 위하여 경제관계의

중단 및 외교관계의 단절등을 포함하는 비군사적 조치를

취할 수 있음.(제41조)   0102

(라) 안전보장이사회는 비군사적 조치가 불충분한 것으로

인정할 경우, 시위, 봉쇄등 군사작전을 포함하는

군사적 조치를 취할 수 있음.(제42조)

(마) 회원국은 안전보장이사회의 요청 또는 안전보장

이사회와 회원국간의 특별협정에 의거하여, 병력,

원조 및 통과권을 포함한 편의를 안전보장이사회에

이용하게 할 의무를 짐.(제43조)

(바) 회원국은 무력공격이 발생한 경우, 안전보장이사회가

필요한 조치를 취할 때까지, 개별적 또는 집단적

자위권을 행사할 수 있음.(제51조)

(사) 지역적 조치에 적합한 사항을 처리하기 위하여 지역적

약정을 맺고 지역적 기관을 구성하므로써 분쟁의

평화적 해결을 도모함.(제52조-제54조)

(7) 국제연합은 경제, 사회등 국제적 문제의 해결, 인권 및

자유의 존중 그리고 생활수준의 향상 및 완전고용등을

촉진함으로써 안정과 복지를 달성하고 이를 통하여 그 주요

목적의 하나인 국제적 협력을 도모하도록 함.(제55조-

제60조)   0103

(8) 주민이 완전한 자치를 행할 수 없는 지역을 위하여

국제신탁통치제도를 수립함. (제73조 - 제85조)

(9) 국제사법재판소규정은 헌장의 불가분의 일부를 구성하며,

회원국은 동 규정의 당연당사국으로 동 재판소의 결정을

준수할 의무를 짐. (제92조 - 제96조)

(10) 회원국은 모든 조약과 국제협정을 사무국에 등록함.

(제102조)

(11) 헌장상의 의무와 타 국제협정상의 의무가 상충하는 경우

헌장상 의무가 우선함. (제103조)

나. 국제사법재판소규정

(1) 국제사법재판소는 국제연합의 주요한 사법기관임. (제1조)

(2) 재판소는 9년 임기의 15인의 독립적 재판관단으로 구성됨.

(제2조 - 제33조)

(3) 국가만이 소송의 당사자가 될 수 있음. (제34조)

(4) 재판소는 당사국이 회부한 모든 사건 또는 조약이나

약정에 규정된 모든 사항에 관할권을 가지며, 또한

재판소는 동 규정 제36조 제2항을 수락한 당사국간에

강제관할권을 가짐. (제34조 - 제37조)　0104

1505 - 25 (2 - 2) 일(1)을 "내가아낀 종이 한장 늘어나는 나라살림"　190㎜×268㎜ 인쇄용지 2급 60g/㎡
85. 9. 9. 승인　가 40 - 41 1990. 5. 28

(5) 국제협약、 국제관습、 법의 일반원칙、 사법판결 및 학설、

당사자가 합의하는 경우 형평과 선을 재판소의 재판준칙

으로 함.(제38조)

(6) 재판소의 판결은 최종적이며、 일정한 경우에 한하여

재심이 허용됨.(제39조-제64조)

(7) 국제연합헌장에 의하여 허가된 기관이 요청할 경우、

재판소는 법률문제에 관하여 권고적 의견을 제시함.

(제65조-제68조)

3. 경제기획원、 국토통일원、 법무부、 국방부등 관계부처와

합의하였음.

첨부: 국무회의안건. 끝.

(별 안)

조약 20411-

수신: 국무회의의장

참조: 총무처장관

제목: 국무회의안건 상정

다음 안건을 국무회의에 상정하고자 제출하오니 심의하여 주시기

바랍니다.   0105

1. 안건의 제목 : "국제연합헌장" 수락

2. 안건의 부수 : 45부 (별첨) . 끝 .

0106

1505-25(2-2) 일(1)을   "내가아낀 종이 한장 늘어나는 나라살림"   190mm×268mm 인쇄용지 2급 60g/㎡
85. 9 . 9 . 승인   가 40-41 1990. 5. 28

議案番號	第 號	
議 決 年 月 日	1991 . . . (第 回)	議 決 事 項

"國際聯合憲章 " 受諾

提 出 者	國務委員李相玉 (外務部長官)
提出年月日	1991. . .

法制處 審查畢

1. 議決主文

政府는 "國際聯合憲章"을 受諾하기로 함. (國會同意 必要)

2. 提案理由

國際平和와 安全의 維持, 國家間의 友好關係의 發展 및 모든 分野에서의
國際的 協力의 達成을 그 주요目的으로 하는 國際共同體의 中心機構인
國際聯合에 加入함에 있어, 國際聯合憲章은 新會員國 加入要件의 하나로
그 憲章을 受諾할 것을 規定하고 있으므로 이 憲章상 規定된 義務를 受諾
하고자 함. 國際聯合加入을 통하여 我國은 國際社會의 責任있는 成員
으로서의 正當한 役割과 義務를 다하고자 하며 國際聯合의 目的과 原則을
尊重하는 가운데 모든 分野에서의 交流와 協力關係를 增進시키고 이를
토대로 韓半島를 包含한 東北亞地域에서의 平和, 나아가 世界平和에 이바지
하고자 함.

3. 主要骨子(憲章: 前文 및 本文 111個條로 構成, 國際司法裁判所 規程:
70個條로 構成)

가. 國際聯合憲章

(1) 國際聯合은 國際平和와 安全의 維持, 各國間 友好關係의 促進,
人權 및 基本的 自由의 尊重, 國際的 協力 및 國家間 活動을
調和시키는 中心으로서의 役割을 그 目的으로 함. (前文 및 第1條)

(2) 國際聯合은 主權平等, 會員國의 憲章上 義務의 誠實한 履行,
國際紛爭의 平和的 解決, 領土保全 또는 政治的 獨立의 尊重
및 武力 不使用, 國際聯合措置에 對한 會員國의 援助 및 措置
對象國에 대한 援助삼가義務, 國內管轄權 事項에 대한 不干涉등을
그 行動原則으로 함. (第2條)

0108

(3) 國際聯合은 原會員國(51個國) 및 新會員國으로 構成되며, 新會員國의 경우 憲章상 義務의 受諾, 憲章상 義務의 遵守意思와 能力의 保有 및 平和愛好國일 것을 그 加入要件으로 規定하고, 그 加入承認은 安全保障理事會의 勸告에 따라 總會가 決定함. (第3條-第6條)

(4) 國際聯合은 주요機關으로 總會, 安全保障理事會, 經濟社會理事會, 信託統治理事會, 國際司法裁判所 및 事務局을 設置함. (第7條-第32條, 第61條-第72條, 第86조-第101條)

(5) 國際平和와 安全을 維持하기 위한 目的을 達成하기 위하여 國際的 紛爭의 平和的 解決原則 및 節次를 規定함. (第33條-第38條)

(6) 平和에 대한 威脅, 平和의 破壞 및 侵略行爲등이 發生한 경우 國際聯合은 이를 防止 또는 鎭壓하기 위한 措置를 취함.

　(가) 安全保障理事會는 上記 事態의 有無와 必要措置를 決定함. (第39條)

　(나) 安全保障理事會는 勸告 또는 措置를 決定하기 전에 關係 當事國에 대하여 必要한 暫定措置를 要請할 수 있음. (第40條)

　(다) 安全保障理事會는 그 決定을 執行하기 위하여 經濟關係의 中斷 및 外交關係의 斷切등을 包含하는 非軍事的 措置를 취할 수 있음. (第41條)

　(라) 安全保障理事會는 非軍事的 措置가 不充分한 것으로 認定할 경우, 示威, 封鎖등 軍事作戰을 포함하는 軍事的 措置를 취할 수 있음. (第42條)

　(마) 會員國은 安全保障理事會의 要請 또는 安全保障理事會와

0103

會員國間의 特別協定에 의거하여, 兵力, 援助 및 通過權을
包含한 便宜를 安全保障理事會에 利用하게 할 義務를 짐.
(第43條)

(바) 會員國은 武力攻擊이 發生한 경우, 安全保障理事會가 必要한
措置를 취할 때까지, 個別的 또는 集團的 自衛權을 行使할 수
있음. (第51條)

(사) 地域的 措置에 適合한 事項을 處理하기 위하여 地域的
約定을 맺고 地域的 機關을 構成하므로써 紛爭의 平和的
解決을 圖謀함. (第52條-第54條)

(7) 國際聯合은 經濟, 社會分野등에서의 國際的 問題의 解決, 人權
및 自由의 尊重 그리고 生活水準의 向上 및 完全雇備등을 促進
함으로써 安定과 福祉를 達成하고 이를 통하여 그 주요目的의
하나인 國際的 協力을 圖謀하도록 함. (第55條-第60條)

(8) 住民이 完全한 自治를 행할 수 없는 地域을 위하여 國際信託統治
制度를 樹立함. (第73條-第85條)

(9) 國際司法裁判所規程은 憲章의 不可分의 一部를 構成하며, 會員國은
同 規程의 當然當事國으로 同 裁判所의 決定을 遵守할 義務를 짐.
(第92條-第96條)

(10) 會員國은 모든 條約과 國際協定을 事務局에 登錄함. (第102條)

(11) 憲章상의 義務와 他 國際協定상의 義務가 相衝하는 경우 憲章상
義務가 優先함. (第103條)

나. 國際司法裁判所規程

(1) 國際司法裁判所는 國際聯合의 주요한 司法機關임. (第1條)

0110

(2) 裁判所는 9年 任期의 15人의 獨立的 裁判官團으로 構成됨.
(第2條-第33條)

(3) 國家만이 訴訟의 當事者가 될 수 있음. (第34條)

(4) 裁判所는 當事國이 回附한 모든 事件 또는 條約이나 協定에 規定된 모든 事項에 管轄權을 가지며, 또한 裁判所는 同 規程 第36條 第2項을 受諾한 當事國間에 强制管轄權을 가짐. (第34條-第37條)

(5) 國際協約, 國際慣習, 法의 一般原則, 司法判決 및 學說, 當事者가 合意하는 경우 衡平과 善을 裁判所의 裁判準則으로 함. (第38條)

(6) 裁判所의 判決은 最終的이며, 一定한 경우에 한하여 再審이 許容됨. (第39條-第64條)

(7) 國際聯合憲章에 의하여 許可된 機關이 要請할 경우, 裁判所는 法律問題에 관하여 勸告的 意見을 提示함. (第65條-第68條)

4. 主要討議課題
    없 음.

5. 國會同意 必要理由
    憲法 第60條 第1項의 "重要한 國際組織에 관한 條約"에 該當함.

6. 參考事項
    가. 豫算措置: 國際聯合加入에 따라 所定의 分擔金을 負擔하여야 함.
    나. 關係部處合議: 經濟企劃院, 國土統一院, 法務部, 國防部등 關係部處와 合議하였음.

0111

다. 其他

    (1) 採擇 및 改正

        o 1945. 6.26. 샌프란시스코에서 採擇

        o 1965. 8.31. 第1次 改正 發效

        o 1968. 6.12. 第2次 改正 發效

        o 1973. 9.24. 第3次 改正 發效

        o 現 當事國: 159個國

    (2) 國際聯合憲章 및 國際司法裁判所規程(國文飜譯文 및 英文本): 別添

0112

✓ 내용

45

議 案 番 號	第　　　　　號
議　　決 年　月　日	1991. 6 . 13 . （第 155 回） (임시)

議決事項

" 國際聯合憲章 " 受諾

提 出 者	國務委員 李 相 玉 （外 務 部 長 官）
提出年月日	1 9 9 1 .　　.　　.

法 制 處 審 査 畢

0113

1. 議決主文

政府는 "國際聯合憲章"을 受諾하기로 함. (國會
同意 必要)

2. 提案理由

國際平和와 安全의 維持, 國家間의 友好關係의
發展 및 모든 分野에서의 國際的 協力의 達成을
그 주요목적으로 하는 國際聯合에 加入함에 있어,
國際聯合憲章은 新會員國 加入要件의 하나로 그
憲章을 受諾할 것을 規定하고 있으므로 이 憲章上
規定된 義務를 受諾하고자 함. 國際聯合加入을
통하여 우리나라는 國際社會의 責任있는 成員으로
서의 正當한 役割과 義務를 다하고자 하며 國際
聯合의 目的과 原則을 尊重하는 가운데 모든
分野에서의 交流와 協力關係를 增進시키고 이를
토대로 韓半島를 包含한 東北亞地域과 나아가 世界
의 平和와 繁榮에 이바지 하고자 함.

-1-

0114

3. 主要骨子 (憲章 : 前文 및 本文 111 個條로 構成, 國際司法裁判所 規程 : 70 個條로 構成)

가. 國際聯合憲章

(1) 國際聯合은 國際平和와 安全의 維持, 各國間 友好關係의 促進, 人權 및 基本的 自由의 尊重, 國際的 協力 및 國家間 活動을 調和시키는 中心으로서의 役割을 그 目的으로 함. (前文 및 第 1 條)

(2) 國際聯合은 主權平等, 會員國의 憲章上 義務의 誠實한 履行, 國際紛爭의 平和的 解決, 領土保全 또는 政治的 獨立의 尊重 및 武力 不使用, 國際聯合措置에 對한 會員國의 援助 및 措置 對象國에 대한 援助삼가義務, 國內管轄權 事項에 대한 不干涉등을 그 行動原則으로 함. (第 2 條)

(3) 國際聯合은 原會員國 (51 個國) 및 新會員國으로 構成되며, 新會員國의 경우 憲章상 義務의 受諾, 憲章상 義務의 遵守意思와 能力의 保有 및 平和愛好國일 것을 그 加入要件으로 規定하고, 그 加入承認은 安全保障理事會의 勸告에 따라 總會가 決定함. (第 3 條 - 第 6 條)

0115

(4) 國際聯合은 주요機關으로 總會, 安全保障理事會,
經濟社會理事會, 信託統治理事會, 國際司法裁判所 및
事務局을 設置함. (第 7 條 - 第 32 條, 第 61 條 - 第 72 條,
第 86 條 - 第 101 條)

(5) 國際平和와 安全을 維持하기 위한 目的을 達成하기
위하여 國際的 紛爭의 平和的 解決原則 및 節次를
規定함. (第 33 條 - 第 38 條)

(6) 平和에 대한 威脅, 平和의 破壞 및 侵略行爲등이
發生한 경우 國際聯合은 이를 防止 또는 鎭壓하기
위한 措置를 취함.

(가) 安全保障理事會는 上記 事態의 有無와 必要措置를
決定함. (第 39 條)

(나) 安全保障理事會는 勸告 또는 措置를 決定하기 전에
關係當事國에 대하여 必要한 暫定措置를 要請할
수 있음. (第 40 條)

(다) 安全保障理事會는 그 決定을 執行하기 위하여
經濟關係의 中斷 및 外交關係의 斷切등을 包含하는
非軍事的 措置를 취할 수 있음. (第 41 條)

(라) 安全保障理事會는 非軍事的 措置가 不充分한 것으로
認定할 경우, 示威, 封鎖등 軍事作戰을 包含하는
軍事的 措置를 취할 수 있음. (第 42 條)

-3-

0116

(마) 會員國은 安全保障理事會의 要請 또는 安全保障
理事會와 會員國間의 特別協定에 의거하여, 兵力,
援助 및 通過權을 包含한 便宜를 安全保障理事會
에 利用하게 할 義務를 짐. (第 43 條)

(바) 會員國은 武力攻擊이 發生한 경우, 安全保障理事會
가 必要한 措置를 취할 때까지, 個別的 또는
集團的 自衛權을 行使할 수 있음. (第 51 條)

(사) 地域的 措置에 適合한 事項을 處理하기 위하여
地域的 約定을 맺고 地域的 機關을 構成함으로써
紛爭의 平和的 解決을 圖謀함. (第 52 條 - 第 54 條)

(7) 國際聯合은 經濟, 社會分野등에서의 國際的 問題의
解決, 人權 및 自由의 尊重 그리고 生活水準의 向上
및 完全 雇傭등을 促進함으로써 安定과 福祉를 達成
하고 이를 통하여 그 주요目的의 하나인 國際的
協力을 圖謀하도록 함. (第 55 條 - 第 60 條)

(8) 住民이 完全한 自治를 행할 수 없는 地域을 위하여
國際信託統治制度를 樹立함. (第 73 條 - 第 85 條)

(9) 國際司法裁判所規程은 憲章의 不可分의 一部를 構成
하며, 會員國은 同 規程의 當然當事國으로 同 裁判所의
決定을 遵守할 義務를 짐. (第 92 條 - 第 96 條)

0117

(10) 會員國은 모든 條約과 國際協定을 事務局에
　　登錄함. （第 102 條）

(11) 憲章상의 義務와 他 國際協定상의 義務가 相衝
　　하는 경우 憲章상 義務가 優先함. （第 103 條）

나. 國際司法裁判所規程

(1) 國際司法裁判所는 國際聯合의 주요한 司法機關임.
　　（第 1 條）

(2) 裁判所는 9年 任期의 15人의 獨立的 裁判官團
　　으로 構成됨. （第 2 條 - 第 33 條）

(3) 國家만이 訴訟의 當事者가 될 수 있음. （第 34 條）

(4) 裁判所는 當事國이 回附한 모든 事件 또는 條約
　　이나 協定에 規定된 모든 事項에 管轄權을 가지며,
　　또한 裁判所는 同 規程 第 36 條 第 2 項을 受諾한
　　當事國間에 强制管轄權을 가짐. （第 34 條 - 第 37 條）

(5) 國際協約, 國際慣習, 法의 一般原則, 司法判決 및
　　學說, 當事者가 合意하는 경우 衡平과 善을 裁判所
　　의 裁判準則으로 함. （第 38 條）

(6) 裁判所의 判決은 最終的이며, 一定한 경우에 한하여
　　再審이 許容됨. （第 39 條 - 第 64 條）

-5-

0118

(7) 國際聯合憲章에 의하여 許可된 機關이 要請할 경우, 裁判所는 法律問題에 관하여 勸告的 意見을 提示함. (第65條 - 第68條)

4. 主要討議課題

없음.

5. 國會同意 必要理由

憲法 第60條 第1項의 "重要한 國際組織에 관한 條約"에 該當함.

6. 參考事項

가. 豫算措置 : 國際聯合加入에 따라 所定의 分擔金을 負擔하여야 함.

나. 關係部處合議 : 經濟企劃院, 國土統一院, 法務部, 國防部 등 關係部處와 合議하였음.

다. 其他

(1) 採擇 및 改正

  ○ 1945.6.26. 샌프란시스코에서 採擇

0119

- ㅇ 1965.8.31. 第1次 改正 發效
- ㅇ 1968.6.12. 第2次 改正 發效
- ㅇ 1973.9.24. 第3次 改正 發效
- ㅇ 現 當事國 : 159個國

(2) 國際聯合憲章 및 國際司法裁判所規程 (國文飜譯文

및 英文本) : 別添

국제연합   헌장

국제연합헌장

우리 연합국 국민들은

우리 일생중에 두번이나 말할 수 없는 슬픔을 인류에 가져온 전쟁의 불행에서 다음 세대를 구하고,

기본적 인권, 인간의 존엄 및 가치, 남녀 및 대소 각국의 평등권에 대한 신념을 재확인하며,

정의와 조약 및 기타 국제법의 연원으로부터 발생하는 의무에 대한 존중이 계속 유지될 수 있는 조건을 확립하며,

더 많은 자유속에서 사회적 진보와 생활수준의 향상을 촉진할 것을 결의하였다.

그리고 이러한 목적을 위하여

관용을 실천하고 선량한 이웃으로서 상호간 평화롭게 같이 생활하며,

국제평화와 안전을 유지하기 위하여 우리들의 힘을 합하며,

공동이익을 위한 경우 이외에는 무력을 사용하지 아니한다는 것을, 원칙의 수락과 방법의 설정에 의하여, 보장하고,

모든 국민의 경제적 및 사회적 발전을 촉진하기 위하여 국제기관을 이용한다는 것을 결의하면서,

이러한 목적을 달성하기 위하여 우리의 노력을 결집할 것을 결정하였다.

따라서, 우리 각자의 정부는, 샌프란시스코에 모인, 유효하고 타당한 것으로 인정된 전권위임장을 제시한 대표를 통하여, 이 국제연합헌장에 동의하고, 국제연합이라는 국제기구를 이에 설립한다.

- 11 -

0122

제 1 장
목적과 원칙

제 1 조

국제연합의 목적은 다음과 같다.

1. 국제평화와 안전을 유지하고, 이를 위하여 평화에 대한 위협의 방지. 제거 그리고 침략행위 또는 기타 평화의 파괴를 진압하기 위한 유효한 집단적 조치를 취하고 평화의 파괴로 이를 우려가 있는 국제적 분쟁이나 사태의 조정. 해결을 평화적 수단에 의하여 또한 정의와 국제법의 원칙에 따라 실현한다.

2. 사람들의 평등권 및 자결의 원칙의 존중에 기초하여 국가간의 우호 관계를 발전시키며, 세계평화를 강화하기 위한 기타 적절한 조치를 취한다.

3. 경제적.사회적.문화적 또는 인도적 성격의 국제문제를 해결하고 또한 인종.성별.언어 또는 종교에 따른 차별없이 모든 사람의 인권 및 기본적 자유에 대한 존중을 촉진하고 장려함에 있어 국제적 협력을 달성한다.

4. 이러한 공동의 목적을 달성함에 있어서 각국의 활동을 조화시키는 중심이 된다.

제 2 조

이 기구 및 그 회원국은 제1조에 명시한 목적을 추구함에 있어서 다음의 원칙에 따라 행동한다.

1. 기구는 모든 회원국의 주권평등 원칙에 기초한다.

2. 모든 회원국은 회원국의 지위에서 발생하는 권리와 이익을 그들 모두에 보장하기 위하여, 이 헌장에 따라 부과되는 의무를 성실히 이행한다.

0123

3. 모든 회원국은 그들의 국제분쟁을 국제평화와 안전 그리고 정의를 위태롭게 하지 아니하는 방식으로 평화적 수단에 의하여 해결한다.

4. 모든 회원국은 그 국제관계에 있어서 다른 국가의 영토보전이나 정치적 독립에 대하여 또는 국제연합의 목적과 양립하지 아니하는 어떠한 기타 방식으로도 무력의 위협이나 무력행사를 삼간다.

5. 모든 회원국은 국제연합이 이 헌장에 따라 취하는 어떠한 조치에 있어서도 모든 원조를 다하며, 국제연합이 방지조치 또는 강제조치를 취하는 대상이 되는 어떠한 국가에 대하여도 원조를 삼간다.

6. 기구는 국제연합의 회원국이 아닌 국가가, 국제평화와 안전을 유지하는데 필요한 한, 이러한 원칙에 따라 행동하도록 확보한다.

7. 이 헌장의 어떠한 규정도 본질상 어떤 국가의 국내 관할권안에 있는 사항에 간섭할 권한을 국제연합에 부여하지 아니하며, 또는 그러한 사항을 이 헌장에 의한 해결에 맡기도록 회원국에 요구하지 아니한다. 다만, 이 원칙은 제7장에 의한 강제조치의 적용을 해하지 아니한다.

제 2 장
회원국의 지위

제 3 조

국제연합의 원회원국은, 샌프란시스코에서 국제기구에 관한 연합국 회의에 참가한 국가 또는 1942년 1월 1일의 연합국 선언에 서명한 국가로서, 이 헌장에 서명하고 제110조에 따라 이를 비준한 국가이다.

– 13 –

0124

제 4 조

1. 국제연합의 회원국 지위는 이 헌장에 규정된 의무를 수락하고, 이러한 의무를 이행할 능력과 의사가 있다고 기구가 판단하는 그밖의 평화애호국 모두에 개방된다.

2. 그러한 국가의 국제연합회원국으로의 승인은 안전보장이사회의 권고에 따라 총회의 결정에 의하여 이루어진다.

제 5 조

안전보장이사회에 의하여 취하여지는 방지조치 또는 강제조치의 대상이 되는 국제연합회원국에 대하여는 총회가 안전보장이사회의 권고에 따라 회원국으로서의 권리와 특권의 행사를 정지시킬 수 있다. 이러한 권리와 특권의 행사는 안전보장이사회에 의하여 회복될 수 있다.

제 6 조

이 헌장에 규정된 원칙을 끈질기게 위반하는 국제연합회원국은 총회가 안전보장이사회의 권고에 따라 기구로부터 제명할 수 있다.

제 3 장
기 관

제 7 조

1. 국제연합의 주요기관으로서 총회·안전보장이사회·경제사회이사회·신탁통치이사회·국제사법재판소 및 사무국을 설치한다.

2. 필요하다고 인정되는 보조기관은 이 헌장에 따라 설치될 수 있다.

0125

제 8 조

국제연합은 남녀가 어떠한 능력으로서든 그리고 평등의 조건으로
그 주요기관 및 보조기관에 참가할 자격이 있음에 대하여 어떠한 제한도
두어서는 아니된다.

제 4 장
총 회

구성
제 9 조

1. 총회는 모든 국제연합회원국으로 구성된다.

2. 각 회원국은 총회에 5인이하의 대표를 가진다.

임무 및 권한
제 10 조

총회는 이 헌장의 범위안에 있거나 또는 이 헌장에 규정된 어떠한 기관의
권한 및 임무에 관한 어떠한 문제 또는 어떠한 사항도 토의할 수 있으며,
그리고 제12조에 규정된 경우를 제외하고는, 그러한 문제 또는 사항에 관하여
국제연합회원국 또는 안전보장이사회 또는 이 양자에 대하여 권고할 수 있다.

제 11 조

1. 총회는 국제평화와 안전의 유지에 있어서의 협력의 일반원칙을,
군비축소 및 군비규제를 규율하는 원칙을 포함하여 심의하고, 그러한 원칙과
관련하여 회원국이나 안전보장이사회 또는 이 양자에 대하여 권고할 수 있다.

2. 총회는 국제연합회원국이나 안전보장이사회 또는 제35조제2항에
따라 국제연합회원국이 아닌 국가에 의하여 총회에 회부된 국제평화와 안전의

- 15 -

0126

유지에 관한 어떠한 문제도 토의할 수 있으며, 제12조에 규정된 경우를 제외
하고는 그러한 문제와 관련하여 1 또는 그 이상의 관계국이나 안전보장이사회
또는 이 양자에 대하여 권고할 수 있다. 그러한 문제로서 조치를 필요로 하는
것은 토의의 전 또는 후에 총회에 의하여 안전보장이사회에 회부된다.

3. 총회는 국제평화와 안전을 위태롭게 할 우려가 있는 사태에 대하여
안전보장이사회의 주의를 환기할 수 있다.

4. 이 조에 규정된 총회의 권한은 제10조의 일반적 범위를 제한하지
아니한다.

제 12 조

1. 안전보장이사회가 어떠한 분쟁 또는 사태와 관련하여 이 헌장에서
부여된 임무를 수행하고 있는 동안에는 총회는 이 분쟁 또는 사태에 관하여
안전보장이사회가 요청하지 아니하는 한 어떠한 권고도 하지 아니한다.

2. 사무총장은 안전보장이사회가 다루고 있는 국제평화와 안전의 유지에
관한 어떠한 사항도 안전보장이사회의 동의를 얻어 매 회기중 총회에 통고하며,
또한 사무총장은, 안전보장이사회가 그러한 사항을 다루는 것을 중지한 경우,
즉시 총회 또는 총회가 회기중이 아닐 경우에는 국제연합회원국에 마찬가지로
통고한다.

제 13 조

1. 총회는 다음의 목적을 위하여 연구를 발의하고 권고한다.
　　가. 정치적 분야에 있어서 국제협력을 촉진하고, 국제법의 점진적
　　　　발달 및 그 법전화를 장려하는 것

0127

나. 경제.사회.문화.교육 및 보건분야에 있어서 국제협력을 촉진하며
그리고 인종.성별.언어 또는 종교에 관한 차별없이 모든 사람을
위하여 인권 및 기본적 자유를 실현하는데 있어 원조하는 것

2. 전기 제1항나호에 규정된 사항에 관한 총회의 추가적 책임, 임무
및 권한은 제9장과 제10장에 규정된다.

제 14 조

제12조 규정에 따를 것을 조건으로 총회는 그 원인에 관계없이 일반적
복지 또는 국가간의 우호관계를 해할 우려가 있다고 인정되는 어떠한 사태도
이의 평화적 조정을 위한 조치를 권고할 수 있다. 이 사태는 국제연합의 목적
및 원칙을 정한 이 헌장규정의 위반으로부터 발생하는 사태를 포함한다.

제 15 조

1. 총회는 안전보장이사회로부터 연례보고와 특별보고를 받아 심의한다.
이 보고는 안전보장이사회가 국제평화와 안전을 유지하기 위하여 결정하거나
또는 취한 조치의 설명을 포함한다.

2. 총회는 국제연합의 다른 기관으로부터 보고를 받아 심의한다.

제 16 조

총회는 제12장과 제13장에 의하여 부과된 국제신탁통치제도에 관한 임무를
수행한다. 이 임무는 전략지역으로 지정되지 아니한 지역에 관한 신탁통치
협정의 승인을 포함한다.

- 17 -

0128

제 17 조

1. 총회는 기구의 예산을 심의하고 승인한다.

2. 기구의 경비는 총회에서 배정한 바에 따라 회원국이 부담한다.

3. 총회는 제57조에 규정된 전문기구와의 어떠한 재정약정 및 예산약정도 심의하고 승인하며, 당해 전문기구에 권고할 목적으로 그러한 전문기구의 행정적 예산을 검사한다.

표결

제 18 조

1. 총회의 각 구성국은 1개의 투표권을 가진다.

2. 중요문제에 관한 총회의 결정은 출석하여 투표하는 구성국의 3분의 2의 다수로 한다. 이러한 문제는 국제평화와 안전의 유지에 관한 권고, 안전보장 이사회의 비상임이사국의 선출, 경제사회이사회의 이사국의 선출, 제86조제1항 다호에 의한 신탁통치이사회의 이사국의 선출, 신회원국의 국제연합 가입의 승인, 회원국으로서의 권리 및 특권의 정지, 회원국의 제명, 신탁통치제도의 운영에 관한 문제 및 예산문제를 포함한다.

3. 기타 문제에 관한 결정은 3분의 2의 다수로 결정될 문제의 추가적 부분의 결정을 포함하여 출석하여 투표하는 구성국의 과반수로 한다.

제 19 조

기구에 대한 재정적 분담금의 지불을 연체한 국제연합회원국은 그 연체 금액이 그때까지의 만 2년간 그 나라가 지불하였어야 할 분담금의 금액과 같거나 또는 초과하는 경우 총회에서 투표권을 가지지 못한다. 그럼에도 총회는 지불의 불이행이 그 회원국이 제어할 수 없는 사정에 의한 것임이 인정되는 경우 그 회원국의 투표를 허용할 수 있다.

0129

절차

제 20 조

총회는 연례정기회기 및 필요한 경우에는 특별회기로서 모인다.
특별회기는 안전보장이사회의 요청 또는 국제연합회원국의 과반수의 요청에
따라 사무총장이 소집한다.

제 21 조

총회는 그 자체의 의사규칙을 채택한다. 총회는 매회기마다 의장을
선출한다.

제 22 조

총회는 그 임무의 수행에 필요하다고 인정되는 보조기관을 설치할 수
있다.

제 5 장
안전보장이사회

구성

제 23 조

1. 안전보장이사회는 15개 국제연합회원국으로 구성된다. 중화민국.
불란서.소비에트사회주의공화국연방.영국 및 미합중국은 안전보장이사회의
상임이사국이다. 총회는 먼저 국제평화와 안전의 유지 및 기구의 기타
목적에 대한 국제연합회원국의 공헌과 또한 공평한 지리적 배분을 특별히
고려하여 그의 10개의 국제연합회원국을 안전보장이사회의 비상임이사국으로
선출한다.

- 19 -

0130

2. 안전보장이사회의 비상임이사국은 2년의 임기로 선출된다. 안전보장이사회의 이사국이 11개국에서 15개국으로 증가된 후 최초의 비상임이사국 선출에서는, 추가된 4개이사국중 2개이사국은 1년의 임기로 선출된다. 퇴임이사국은 연이어 재선될 자격을 가지지 아니한다.

3. 안전보장이사회의 각 이사국은 1인의 대표를 가진다.

임무와 권한

제 24 조

1. 국제연합의 신속하고 효과적인 조치를 확보하기 위하여, 국제연합회원국은 국제평화와 안전의 유지를 위한 일차적 책임을 안전보장이사회에 부여하며, 또한 안전보장이사회가 그 책임하에 의무를 이행함에 있어 회원국을 대신하여 활동하는 것에 동의한다.

2. 이러한 의무를 이행함에 있어 안전보장이사회는 국제연합의 목적과 원칙에 따라 활동한다. 이러한 의무를 이행하기 위하여 안전보장이사회에 부여된 특정한 권한은 제6장, 제7장, 제8장 및 제12장에 규정된다.

3. 안전보장이사회는 연례보고 및 필요한 경우 특별보고를 총회에 심의하도록 제출한다.

제 25 조

국제연합회원국은 안전보장이사회의 결정을 이 헌장에 따라 수락하고 이행할 것을 동의한다.

제 26 조

세계의 인적 및 경제적 자원을 군비를 위하여 최소한으로 전용함으로써 국제평화와 안전의 확립 및 유지를 촉진하기 위하여, 안전보장이사회는 군비

0131

규제체제의 확립을 위하여 국제연합회원국에 제출되는 계획을 제47조에
규정된 군사참모위원회의 원조를 받아 작성할 책임을 진다.

표결
제 27 조

1. 안전보장이사회의 각 이사국은 1기의 투표권을 가진다.

2. 절차사항에 관한 안전보장이사회의 결정은 9기이사국의 찬성투표로써
한다.

3. 그외 모든 사항에 관한 안전보장이사회의 결정은 상임이사국의 동의
투표를 포함한 9기이사국의 찬성투표로써 한다. 다만, 제6장 및 제52조제3항에
의한 결정에 있어서는 분쟁당사국은 투표를 기권한다.

절차
제 28 조

1. 안전보장이사회는 계속적으로 임무를 수행할 수 있도록 조직된다.
이를 위하여 안전보장이사회의 각 이사국은 기구의 소재지에 항상 대표를
둔다.

2. 안전보장이사회는 정기회의를 개최한다. 이 회의에 각 이사국은
희망하는 경우, 각료 또는 특별히 지명된 다른 대표에 의하여 대표될 수 있다.

3. 안전보장이사회는 그 사업을 가장 쉽게 할 수 있다고 판단되는
기구의 소재지외의 장소에서 회의를 개최할 수 있다.

제 29 조

안전보장이사회는 그 임무의 수행에 필요하다고 인정되는 보조기관을
설치할 수 있다.

- 21 -

0132

제 30 조

안전보장이사회는 의장선출방식을 포함한 그 자체의 의사규칙을 채택한다.

제 31 조

안전보장이사회의 이사국이 아닌 어떠한 국제연합회원국도 안전보장이사회가
그 회원국의 이해에 특히 영향이 있다고 인정하는 때에는 언제든지 안전보장
이사회에 회부된 어떠한 문제의 토의에도 투표권없이 참가할 수 있다.

제 32 조

안전보장이사회의 이사국이 아닌 국제연합회원국 또는 국제연합회원국이
아닌 어떠한 국가도 안전보장이사회에서 심의중인 분쟁의 당사자인 경우에는
이 분쟁에 관한 토의에 투표권없이 참가하도록 초청된다. 안전보장이사회는
국제연합회원국이 아닌 국가의 참가에 공정하다고 인정되는 조건을 정한다.

제 6 장
분쟁의 평화적 해결

제 33 조

1. 어떠한 분쟁도 그의 계속이 국제평화와 안전의 유지를 위태롭게 할
우려가 있는 것일 경우, 그 분쟁의 당사자는 우선 교섭·심사·중개·조정·중재재판·
사법적 해결·지역적 기관 또는 지역적 약정의 이용 또는 당사자가 선택하는 다른
평화적 수단에 의한 해결을 구한다.

2. 안전보장이사회는 필요하다고 인정하는 경우 당사자에 대하여
그 분쟁을 그러한 수단'에 의하여 해결하도록 요청한다.

0133

제 34 조

안전보장이사회는 어떠한 분쟁에 관하여도, 또는 국제적 마찰이 되거나 분쟁을 발생하게 할 우려가 있는 어떠한 사태에 관하여도, 그 분쟁 또는 사태의 계속이 국제평화와 안전의 유지를 위태롭게 할 우려가 있는지 여부를 결정하기 위하여 조사할 수 있다.

제 35 조

1. 국제연합회원국은 어떠한 분쟁에 관하여도, 또는 제34조에 규정된 성격의 어떠한 사태에 관하여도, 안전보장이사회 또는 총회의 주의를 환기할 수 있다.

2. 국제연합회원국이 아닌 국가는 자국이 당사자인 어떠한 분쟁에 관하여도, 이 헌장에 규정된 평화적 해결의 의무를 그 분쟁에 관하여 미리 수락하는 경우에는 안전보장이사회 또는 총회의 주의를 환기할 수 있다.

3. 이 조에 의하여 주의가 환기된 사항에 관한 총회의 절차는 제11조 및 제12조의 규정에 따른다.

제 36 조

1. 안전보장이사회는 제33조에 규정된 성격의 분쟁 또는 유사한 성격의 사태의 어떠한 단계에 있어서도 적절한 조정절차 또는 조정방법을 권고할 수 있다.

2. 안전보장이사회는 당사자가 이미 채택한 분쟁해결절차를 고려하여야 한다.

- 23 -

0134

3. 안전보장이사회는, 이 조에 의하여 권고를 함에 있어서, 일반적으로 법률적 분쟁이 국제사법재판소규정의 규정에 따라 당사자에 의하여 동 재판소에 회부되어야 한다는 점도 또한 고려하여야 한다.

제 37 조

1. 제33조에 규정된 성격의 분쟁당사자는, 동조에 규정된 수단에 의하여 분쟁을 해결하지 못하는 경우, 이를 안전보장이사회에 회부한다.

2. 안전보장이사회는 분쟁의 계속이 국제평화와 안전의 유지를 위태롭게 할 우려가 실제로 있다고 인정하는 경우 제36조에 의하여 조치를 취할 것인지 또는 적절하다고 인정되는 해결조건을 권고할 것인지를 결정한다.

제 38 조

제33조 내지 제37조의 규정을 해하지 아니하고, 안전보장이사회는 어떠한 분쟁에 관하여도 분쟁의 모든 당사자가 요청하는 경우 그 분쟁의 평화적 해결을 위하여 그 당사자에게 권고할 수 있다.

제 7 장
평화에 대한 위협, 평화의 파괴 및 침략행위에 관한 조치

제 39 조

안전보장이사회는 평화에 대한 위협, 평화의 파괴 또는 침략행위의 존재를 결정하고, 국제평화와 안전을 유지하거나 이를 회복하기 위하여 권고하거나, 또는 제41조 및 제42조에 따라 어떠한 조치를 취할 것인지를 결정한다.

0135

제 40 조

사태의 악화를 방지하기 위하여 안전보장이사회는 제39조에 규정된 권고를 하거나 조치를 결정하기 전에 필요하거나 바람직하다고 인정되는 잠정조치에 따르도록 관계당사자에게 요청할 수 있다. 이 잠정조치는 관계당사자의 권리, 청구권 또는 지위를 해하지 아니한다. 안전보장이사회는 그러한 잠정조치의 불이행을 적절히 고려한다.

제 41 조

안전보장이사회는 그의 결정을 집행하기 위하여 병력의 사용을 수반하지 아니하는 어떠한 조치를 취하여야 할 것인지를 결정할 수 있으며, 또한 국제연합회원국에 대하여 그러한 조치를 적용하도록 요청할 수 있다. 이 조치는 경제관계 및 철도·항해·항공·우편·전신·무선통신 및 다른 교통통신수단의 전부 또는 일부의 중단과 외교관계의 단절을 포함할 수 있다.

제 42 조

안전보장이사회는 제41조에 규정된 조치가 불충분할 것으로 인정하거나 또는 불충분한 것으로 판명되었다고 인정하는 경우에는, 국제평화와 안전의 유지 또는 회복에 필요한 공군·해군 또는 육군에 의한 조치를 취할 수 있다. 그러한 조치는 국제연합회원국의 공군·해군 또는 육군에 의한 시위·봉쇄 및 다른 작전을 포함할 수 있다.

제 43 조

1. 국제평화와 안전의 유지에 공헌하기 위하여 모든 국제연합회원국은 안전보장이사회의 요청에 의하여 그리고 1 또는 그 이상의 특별협정에 따라, 국제평화와 안전의 유지 목적상 필요한 병력·원조 및 통과권을 포함한 편의를 안전보장이사회에 이용하게 할 것을 약속한다.

- 25 -

0136

2. 그러한 협정은 병력의 수 및 종류, 그 준비정도 및 일반적 배치와 제공될 편의 및 원조의 성격을 규율한다.

3. 그 협정은 안전보장이사회의 발의에 의하여 가능한 한 신속히 교섭되어야 한다. 이 협정은 안전보장이사회와 회원국간에 또는 안전보장이사회와 회원국집단간에 체결되며, 서명국 각자의 헌법상의 절차에 따라 동 서명국에 의하여 비준되어야 한다.

제 44 조

안전보장이사회는 무력을 사용하기로 결정한 경우 이사회에서 대표되지 아니하는 회원국에게 제43조에 따라 부과된 의무의 이행으로서 병력의 제공을 요청하기 전에 그 회원국이 희망한다면 그 회원국 병력중 파견부대의 사용에 관한 안전보장이사회의 결정에 참여하도록 그 회원국을 초청한다.

제 45 조

국제연합이 긴급한 군사조치를 취할 수 있도록 하기 위하여, 회원국은 합동의 국제적 강제조치를 위하여 자국의 공군파견부대를 즉시 이용할 수 있도록 유지한다. 이러한 파견부대의 전력과 준비정도 및 합동조치를 위한 계획은 제43조에 규정된 1 또는 그 이상의 특별협정에 규정된 범위안에서 군사참모위원회의 도움을 얻어 안전보장이사회가 결정한다.

제 46 조

병력사용계획은 군사참모위원회의 도움을 얻어 안전보장이사회가 작성한다.

0137

제 47 조

1. 국제평화와 안전의 유지를 위한 안전보장이사회의 군사적 필요, 안전보장이사회의 재량에 맡기어진 병력의 사용 및 지휘, 군비규제 그리고 가능한 군비축소에 관한 모든 문제에 관하여 안전보장이사회에 조언하고 도움을 주기 위하여 군사참모위원회를 설치한다.

2. 군사참모위원회는 안전보장이사회 상임이사국의 참모총장 또는 그의 대표로 구성된다. 이 위원회에 상임위원으로서 대표되지 아니하는 국제연합 회원국은 위원회의 책임의 효과적인 수행을 위하여 위원회의 사업에 동 회원국의 참여가 필요한 경우에는 위원회에 의하여 그와 제휴하도록 초청된다.

3. 군사참모위원회는 안전보장이사회하에 안전보장이사회의 재량에 맡기어진 병력의 전략적 지도에 대하여 책임을 진다. 그러한 병력의 지휘에 관한 문제는 추후에 해결한다.

4. 군사참모위원회는 안전보장이사회의 허가를 얻어 그리고 적절한 지역기구와 협의한 후 지역소위원회를 설치할 수 있다.

제 48 조

1. 국제평화와 안전의 유지를 위한 안전보장이사회의 결정을 이행하는 데 필요한 조치는 안전보장이사회가 정하는 바에 따라 국제연합회원국의 전부 또는 일부에 의하여 취하여진다.

2. 그러한 결정은 국제연합회원국에 의하여 직접적으로 또한 국제연합 회원국이 그 구성국인 적절한 국제기관에 있어서의 이들 회원국의 조치를 통하여 이행된다.

- 27 -

0138

제 49 조

국제연합회원국은 안전보장이사회가 결정한 조치를 이행함에 있어
상호원조를 제공하는 데에 참여한다.

제 50 조

안전보장이사회가 어느 국가에 대하여 방지조치 또는 강제조치를 취하는
경우, 국제연합회원국인지 아닌지를 불문하고 어떠한 다른 국가도 자국이
이 조치의 이행으로부터 발생하는 특별한 경제문제에 직면한 것으로 인정하는
경우, 동 문제의 해결에 관하여 안전보장이사회와 협의할 권리를 가진다.

제 51 조

이 헌장의 어떠한 규정도 국제연합회원국에 대하여 무력공격이 발생한
경우, 안전보장이사회가 국제평화와 안전을 유지하기 위하여 필요한 조치를
취할 때까지 개별적 또는 집단적 자위의 고유한 권리를 침해하지 아니한다.
자위권을 행사함에 있어 회원국이 취한 조치는 즉시 안전보장이사회에 보고된다.
또한 이 조치는, 안전보장이사회가 국제평화와 안전의 유지 또는 회복을 위하여
필요하다고 인정하는 조치를 언제든지 취한다는, 이 헌장에 의한 안전보장
이사회의 권한과 책임에 어떠한 영향도 미치지 아니한다.

제 8 장
지역적 약정

제 52 조

1. 이 헌장의 어떠한 규정도, 국제평화와 안전의 유지에 관한 사항으로서
지역적 조치에 적합한 사항을 처리하기 위하여 지역적 약정 또는 지역적 기관이
존재하는 것을 배제하지 아니한다. 다만, 이 약정 또는 기관 및 그 활동이
국제연합의 목적과 원칙에 일치하는 것을 조건으로 한다.

0139

2. 그러한 약정을 체결하거나 그러한 기관을 구성하는 국제연합회원국은 지역적 분쟁을 안전보장이사회에 회부하기 전에 이 지역적 약정 또는 지역적 기관에 의하여 그 분쟁의 평화적 해결을 성취하기 위하여 모든 노력을 다한다.

3. 안전보장이사회는 관계국의 발의에 의하거나·안전보장이사회의 회부에 의하여 그러한 지역적 약정 또는 지역적 기관에 의한 지역적 분쟁의 평화적 해결의 발달을 장려한다.

4. 이 조는 제34조 및 제35조의 적용을 결코 해하지 아니한다.

제 53 조

1. 안전보장이사회는 그 권위하에 취하여지는 강제조치를 위하여 적절한 경우에는 그러한 지역적 약정 또는 지역적 기관을 이용한다. 다만, 안전보장 이사회의 허가없이는 어떠한 강제조치도 지역적 약정 또는 지역적 기관에 의하여 취하여져서는 아니된다. 그러나 이 조 제2항에 규정된 어떠한 적국에 대한 조치 이든지 제107조에 따라 규정된 것 또는 적국에 의한 침략정책의 재현에 대비한 지역적 약정에 규정된 것은, 관계정부의 요청에 따라 기구가 그 적국에 의한 새로운 침략을 방지할 책임을 질 때까지는 예외로 한다.

2. 이 조 제1항에서 사용된 적국이라는 용어는 제2차 세계대전중에 이 헌장 서명국의 적국이었던 어떠한 국가에도 적용된다.

제 54 조

안전보장이사회는 국제평화와 안전의 유지를 위하여 지역적 약정 또는 지역적 기관에 의하여 착수되었거나 또는 계획되고 있는 활동에 대하여 항상 충분히 통보받는다.

제 9 장
경제적 및 사회적 국제협력

제 55 조

사람의 평등권 및 자결원칙의 존중에 기초한 국가간의 평화롭고 우호적인 관계에 필요한 안정과 복지의 조건을 창조하기 위하여, 국제연합은 다음을 촉진한다.

가. 보다 높은 생활수준, 완전고용 그리고 경제적 및 사회적 진보와 발전의 조건

나. 경제.사회.보건 및 관련국제문제의 해결 그리고 문화 및 교육상의 국제협력

다. 인종.성별.언어 또는 종교에 관한 차별이 없는 모든 사람을 위한 인권 및 기본적 자유의 보편적 존중과 준수

제 56 조

모든 회원국은 제55조에 규정된 목적의 달성을 위하여 기구와 협력하여 공동의 조치 및 개별적 조치를 취할 것을 약속한다.

제 57 조

1. 정부간 협정에 의하여 설치되고 경제.사회.문화.교육.보건분야 및 관련분야에 있어서 기본적 문서에 정한대로 광범위한 국제적 책임을 지는 각종 전문기구는 제63조의 규정에 따라 국제연합과 제휴관계를 설정한다.

2. 이와 같이 국제연합과 제휴관계를 설정한 기구는 이하 전문기구라 한다.

0141

제 58 조

기구는 전문기구의 정책과 활동을 조정하기 위하여 권고한다.

제 59 조

기구는 적절한 경우 제55조에 규정된 목적의 달성에 필요한 새로운 전문기구를 창설하기 위하여 관계국간의 교섭을 발의한다.

제 60 조

이 장에서 규정된 기구의 임무를 수행할 책임은 총회와 총회의 권위하에 경제사회이사회에 부과된다. 경제사회이사회는 이 목적을 위하여 제10장에 규정된 권한을 가진다.

제 10 장
경제사회이사회

구성

제 61 조

1. 경제사회이사회는 총회에 의하여 선출된 54개 국제연합회원국으로 구성된다.

2. 제3항의 규정에 따를 것을 조건으로, 경제사회이사회의 18개 이사국은 3년의 임기로 매년 선출된다. 퇴임이사국은 연이어 재선될 자격이 있다.

3. 경제사회이사회의 이사국이 27개국에서 54개국으로 증가된 후 최초의 선거에서는, 그 해 말에 임기가 종료되는 9개 이사국을 대신하여 선출되는 이사국에 더하여, 27개 이사국이 추가로 선출된다. 총회가 정한 약정에 따라, 이러한 추가의 27개 이사국중 그렇게 선출된 9개 이사국의 임기는 1년의 말에 종료되고, 다른 9개 이사국의 임기는 2년의 말에 종료된다.

4. 경제사회이사회의 각 이사국은 1인의 대표를 가진다.

— 31 —

0142

임무와 권한

제 62 조

1. 경제사회이사회는 경제.사회.문화.교육.보건 및 관련국제사항에
관한 연구 및 보고를 하거나 또는 발의할 수 있으며, 아울러 그러한 사항에
관하여 총회, 국제연합회원국 및 관계전문기구에 권고할 수 있다.

2. 이사회는 모든 사람을 위한 인권 및 기본적 자유의 존중과 준수를
촉진하기 위하여 권고할 수 있다.

3. 이사회는 그 권한에 속하는 사항에 관하여 총회에 제출하기 위한
협약안을 작성할 수 있다.

4. 이사회는 국제연합이 정한 규칙에 따라 그 권한에 속하는 사항에
관하여 국제회의를 소집할 수 있다.

제 63 조

1. 경제사회이사회는 제57조에 규정된 어떠한 기구와도, 동 기구가
국제연합과 제휴관계를 설정하는 조건을 규정하는 협정을 체결할 수 있다.
그러한 협정은 총회의 승인을 받아야 한다.

2. 이사회는 전문기구와의 협의, 전문기구에 대한 권고 및 총회와
국제연합회원국에 대한 권고를 통하여 전문기구의 활동을 조정할 수 있다.

제 64 조

1. 경제사회이사회는 전문기구로부터 정기보고를 받기 위한 적절한
조치를 취할 수 있다. 이사회는, 이사회의 권고와 이사회의 권한에 속하는
사항에 관한 총회의 권고를 실시하기 위하여 취하여진 조치에 관하여 보고를
받기 위하여, 국제연합회원국 및 전문기구와 약정을 체결할 수 있다.

0143

2. 이사회는 이러한 보고에 관한 의견을 총회에 통보할 수 있다.

제 65 조

경제사회이사회는 안전보장이사회에 정보를 제공할 수 있으며, 안전보장이사회의 요청이 있을 때에는 이를 원조한다.

제 66 조

1. 경제사회이사회는 총회의 권고의 이행과 관련하여 그 권한에 속하는 임무를 수행한다.

2. 이사회는 국제연합회원국의 요청이 있을 때와 전문기구의 요청이 있을 때에는 총회의 승인을 얻어 용역을 제공할 수 있다.

3. 이사회는 이 헌장의 다른 곳에 규정되거나 총회에 의하여 이사회에 부과된 다른 임무를 수행한다.

표결

제 67 조

1. 경제사회이사회의 각 이사국은 1개의 투표권을 가진다.

2. 경제사회이사회의 결정은 출석하여 투표하는 이사국의 과반수에 의한다.

절차

제 68 조

경제사회이사회는 경제적 및 사회적 분야의 위원회, 인권의 신장을 위한 위원회 및 이사회의 임무수행에 필요한 다른 위원회를 설치한다.

- 33 -

0144

제 69 조

경제사회이사회는 어떠한 국제연합회원국에 대하여도, 그 회원국과 특히
관계가 있는 사항에 관한 심의에 투표권없이 참가하도록 초청한다.

제 70 조

경제사회이사회는 전문기구의 대표가 이사회의 심의 및 이사회가 설치한
위원회의 심의에 투표권없이 참가하기 위한 약정과 이사회의 대표가 전문기구의
심의에 참가하기 위한 약정을 체결할 수 있다.

제 71 조

경제사회이사회는 그 권한내에 있는 사항과 관련이 있는 비정부간 기구와의
협의를 위하여 적절한 약정을 체결할 수 있다. 그러한 약정은 국제기구와
체결할 수 있으며 적절한 경우에는 관련 국제연합회원국과의 협의후에 국내
기구와도 체결할 수 있다.

제 72 조

1. 경제사회이사회는 의장의 선정방법을 포함한 그 자체의 의사규칙을
채택한다.

2. 경제사회이사회는 그 규칙에 따라 필요한 때에 회합하며, 동 규칙은
이사국 과반수의 요청에 의한 회의소집의 규정을 포함한다.

0145

제 11 장
비자치지역에 관한 선언

제 73 조

　　주민이 아직 완전한 자치를 행할 수 있는 상태에 이르지 못한 지역의
시정(施政)의 책임을 지거나 또는 그 책임을 맡는 국제연합회원국은, 그 지역
주민의 이익이 가장 중요하다는 원칙을 승인하고, 그 지역주민의 복지를 이 헌장에
의하여 확립된 국제평화와 안전의 체제안에서 최고도로 증진시킬 의무와 이를
위하여 다음을 행할 의무를 신성한 신탁으로서 수락한다.

　　가. 관계주민의 문화를 적절히 존중함과 아울러 그들의 정치적·경제적·
　　　　사회적 및 교육적 발전, 공정한 대우, 그리고 학대로부터의 보호를
　　　　확보한다.

　　나. 각지역 및 그 주민의 특수사정과 그들의 서로다른 발전단계에 따라
　　　　자치를 발달시키고, 주민의 정치적 소망을 적절히 고려하며, 또한
　　　　주민의 자유로운 정치제도의 점진적 발달을 위하여 지원한다.

　　다. 국제평화와 안전을 증진한다.

　　라. 이 조에 규정된 사회적·경제적 및 과학적 목적을 실제적으로 달성하기
　　　　위하여 건설적인 발전조치를 촉진하고 연구를 장려하며 상호간 및
　　　　적절한 경우에는 전문적 국제단체와 협력한다.

　　마. 제12장과 제13장이 적용되는 지역외의 위의 회원국이 각각 책임을 지는
　　　　지역에서의 경제적·사회적 및 교육적 조건에 관한 기술적 성격의 통계
　　　　및 다른 정보를, 안전보장과 헌법상의 고려에 따라 필요한 제한을
　　　　조건으로 하여, 정보용으로 사무총장에 정기적으로 송부한다.

0146

제 74 조

국제연합회원국은 이 장이 적용되는 지역에 관한 정책이, 그 본국지역에 관한 정책과 마찬가지로 세계의 다른 지역의 이익과 복지가 적절히 고려되는 가운데에, 사회적.경제적 및 상업적 사항에 관하여 선린주의의 일반원칙에 기초하여야 한다는 점에 또한 동의한다.

제 12 장
국제신탁통치제도

제 75 조

국제연합은 금후의 개별적 협정에 의하여 이 제도하에 두게 될 수 있는 지역의 시정 및 감독을 위하여 그 권위하에 국제신탁통치제도를 확립한다. 이 지역은 이하 신탁통치지역이라 한다.

제 76 조

신탁통치제도의 기본적 목적은 이 헌장 제1조에 규정된 국제연합의 목적에 따라 다음과 같다.

가. 국제평화와 안전을 증진하는 것.

나. 신탁통치지역 주민의 정치적.경제적.사회적 및 교육적 발전을 촉진하고, 각 지역 및 그 주민의 특수사정과 관계주민이 자유롭게 표명한 소망에 적합하도록, 그리고 각 신탁통치협정의 조항이 규정하는 바에 따라 자치 또는 독립을 향한 주민의 점진적 발달을 촉진하는 것.

다. 인종.성별.언어 또는 종교에 관한 차별없이 모든 사람을 위한 인권과 기본적 자유에 대한 존중을 장려하고, 전세계 사람들의 상호 의존의 인식을 장려하는 것.

0147

라. 위의 목적의 달성에 영향을 미치지아니하고 제80조의 규정에 따를 것을
조건으로, 모든 국제연합회원국 및 그 국민을 위하여 사회적.경제적 및
상업적 사항에 대한 평등한 대우 그리고 또한 그 국민을 위한 사법상의
평등한 대우를 확보하는 것.

제 77 조

1. 신탁통치제도는 신탁통치협정에 의하여 이 제도하에 두게 될 수 있는
다음과 같은 범주의 지역에 적용된다.
    가. 현재 위임통치하에 있는 지역
    나. 제2차 세계대전의 결과로서 적국으로부터 분리될 수 있는 지역
    다. 시정에 책임을 지는 국가가 자발적으로 그 제도하에 두는 지역

2. 위의 범주안의 어떠한 지역을 어떠한 조건으로 신탁통치제도하에
두게 될 것인가에 관하여는 금후의 협정에서 정한다.

제 78 조

국제연합회원국간의 관계는 주권평등원칙의 존중에 기초하므로 신탁
통치제도는 국제연합회원국이 된 지역에 대하여는 적용하지 아니한다.

제 79 조

신탁통치제도하에 두게 되는 각 지역에 관한 신탁통치의 조항은, 어떤
변경 또는 개정을 포함하여 직접 관계국에 의하여 합의되며, 제83조 및
제85조에 규정된 바에 따라 승인된다. 이 직접 관계국은 국제연합회원국의
위임통치하에 있는 지역의 경우, 수임국을 포함한다.

제 80 조

1. 제77조, 제79조 및 제81조에 의하여 체결되고, 각 지역을 신탁통치
제도하에 두는 개별적인 신탁통치협정에서 합의되는 경우를 제외하고 그리고
그러한 협정이 체결될 때까지, 이 헌장의 어떠한 규정도 어느 국가 또는 국민의
어떠한 권리, 또는 국제연합회원국이 각기 당사국으로 되는 기존의 국제문서의
조항도 어떠한 방법으로도 변경하는 것으로 직접 또는 간접으로 해석되지
아니한다.

2. 이 조 제1항은 제77조에 규정한 바에 따라 위임통치지역 및 기타지역을
신탁통치제도하에 두기 위한 협정의 교섭 및 체결의 지체 또는 연기를 위한
근거를 부여하는 것으로 해석되지 아니한다.

제 81 조

신탁통치협정은 각 경우에 있어 신탁통치지역을 시정하는 조건을
포함하며, 신탁통치지역의 시정을 행할 당국을 지정한다. 그러한 당국은
이하 시정권자라 하며 1 또는 그 이상의 국가, 또는 기구 자체일 수 있다.

제 82 조

어떠한 신탁통치협정에 있어서도 제43조에 의하여 체결되는 특별협정을
해하지 아니하고 협정이 적용되는 신탁통치지역의 일부 또는 전부를 포함하는
1 또는 그 이상의 전략지역을 지정할 수 있다.

제 83 조

1. 전략지역에 관한 국제연합의 모든 임무는 신탁통치협정의 조항과
그 변경 또는 개정의 승인을 포함하여 안전보장이사회가 행한다.

0149

2. 제76조에 규정된 기본목적은 각 전략지역의 주민에 적용된다.

3. 안전보장이사회는, 신탁통치협정의 규정에 따를 것을 조건으로 또한
안전보장에 대한 고려에 영향을 미치지 아니하고, 전략지역에서의 정치적.
경제적.사회적 및 교육적 사항에 관한 신탁통치제도하의 국제연합의 임무를
수행하기 위하여 신탁통치이사회의 원조를 이용한다.

제 84 조

신탁통치지역이 국제평화와 안전유지에 있어 그 역할을 하는 것을
보장하는 것이 시정권자의 의무이다. 이 목적을 위하여, 시정권자는 이점에
관하여 시정권자가 안전보장이사회에 대하여 부담하는 의무를 이행함에 있어서
또한 지역적 방위 및 신탁통치지역안에서의 법과 질서의 유지를 위하여 신탁
통치지역의 의용군, 편의 및 원조를 이용할 수 있다.

제 85 조

1. 전략지역으로 지정되지 아니한 모든 지역에 대한 신탁통치협정과
관련하여 국제연합의 임무는, 신탁통치협정의 조항과 그 변경 또는 개정의
승인을 포함하여, 총회가 수행한다.

2. 총회의 권위하여 운영되는 신탁통치이사회는 이러한 임무의 수행에
있어 총회를 원조한다.

제 13 장
신탁통치이사회

구성
제 86 조

1. 신탁통치이사회는 다음의 국제연합회원국으로 구성한다.

-- 39 --

0150

가. 신탁통치지역을 시정하는 회원국

나. 신탁통치지역을 시정하지 아니하나 제23조에 국명이 언급된 회원국

다. 총회에 의하여 3년의 임기로 선출된 다른 회원국. 그 수는 신탁
   통치이사회의 이사국의 총수를 신탁통치지역을 시정하는 국제연합
   회원국과 시정하지 아니하는 회원국간에 균분하도록 확보하는 데
   필요한 수로 한다.

2. 신탁통치이사회의 각 이사국은 이사회에서 자국을 대표하도록
특별한 자격을 가지는 1인을 지명한다.

임무와 권한

제 87 조

총회와, 그 권위하의 신탁통치이사회는 그 임무를 수행함에 있어 다음을
할 수 있다.

가. 시정권자가 제출하는 보고서를 심의하는 것

나. 청원의 수리 및 시정권자와 협의하여 이를 심사하는 것

다. 시정권자와 합의한 때에 각 신탁통치지역을 정기적으로 방문하는것

라. 신탁통치협정의 조항에 따라 이러한 조치 및 다른 조치를 취하는 것

제 88 조

신탁통치이사회는 각 신탁통치지역 주민의 정치적.경계적.사회적 및
교육적 발전에 관한 질문서를 작성하며, 또한 총회의 권능안에 있는 각 신탁
통치지역의 시정권자는 그러한 질문서에 기초하여 총회에 연례보고를 행한다.

표결

제 89 조

1. 신탁통치이사회의 각 이사국은 1개의 투표권을 가진다.

0151

2. 신탁통치이사회의 결정은 출석하여 투표하는 이사국의 과반수로 한다.

절차

제 90 조

1. 신탁통치이사회는 의장 선출방식을 포함한 그 자체의 의사규칙을 채택한다.

2. 신탁통치이사회는 그 규칙에 따라 필요한 경우 회합하며, 그 규칙은 이사국 과반수의 요청에 의한 회의의 소집에 관한 규정을 포함한다.

제 91 조

신탁통치이사회는 적절한 경우 경제사회이사회 그리고 전문기구가 각각 관련된 사항에 관하여 전문기구의 원조를 이용한다.

제 14 장
국제사법재판소

제 92 조

국제사법재판소는 국제연합의 주요한 사법기관이다. 재판소는 부속된 규정에 따라 임무를 수행한다. 이 규정은 상설국제사법재판소 규정에 기초하며, 이 헌장의 불가분의 일부를 이룬다.

제 93 조

1. 모든 국제연합회원국은 국제사법재판소 규정의 당연 당사국이다.

2. 국제연합회원국이 아닌 국가는 안전보장이사회의 권고에 의하여 총회가 각 경우에 결정하는 조건으로 국제사법재판소 규정의 당사국이 될 수 있다.

- 41 -

0152

제 94 조

1. 국제연합의 각 회원국은 자국이 당사자가 되는 어떤 사건에 있어서도 국제사법재판소의 결정에 따를 것을 약속한다.

2. 사건의 당사자가 재판소가 내린 판결에 따라 자국이 부담하는 의무를 이행하지 아니하는 경우에는 타방의 당사자는 안전보장이사회에 제소할 수 있다. 안전보장이사회는 필요하다고 인정하는 경우 판결을 집행하기 위하여 권고하거나 취하여야 할 조치를 결정할 수 있다.

제 95 조

이 헌장의 어떠한 규정도 국제연합회원국이 그들간의 분쟁의 해결을 이미 존재하거나 장래에 체결될 협정에 의하여 다른 법원에 의뢰하는 것을 방해하지 아니한다.

제 96 조

1. 총회 또는 안전보장이사회는 어떠한 법적 문제에 관하여도 권고적 의견을 줄 것을 국제사법재판소에 요청할 수 있다.

2. 총회에 의하여 그러한 권한이 부여될 수 있는 국제연합의 다른 기관 및 전문기구도 언제든지 그 활동범위안에서 발생하는 법적 문제에 관하여 재판소의 권고적 의견을 또한 요청할 수 있다.

제 15 장
사 무 국

제 97 조

사무국은 1인의 사무총장과 기구가 필요로 하는 직원으로 구성한다. 사무총장은 안전보장이사회의 권고로 총회가 임명한다. 사무총장은 이 기구의 수석행정직원이다.

0153

제 98 조

사무총장은 총회.안전보장이사회.경제사회이사회 및 신탁통치이사회의 모든 회의에 사무총장의 자격으로 활동하며, 이러한 기관에 의하여 그에게 위임된 다른 임무를 수행한다. 사무총장은 기구의 사업에 관하여 총회에 연례보고를 한다.

제 99 조

사무총장은 국제평화와 안전의 유지를 위협한다고 그 자신이 인정하는 어떠한 사항에도 안전보장이사회의 주의를 환기할 수 있다.

제 100 조

1. 사무총장과 직원은 그들의 임무수행에 있어서 어떠한 정부 또는 이 기구외의 어떠한 다른 당국으로부터도 지시를 구하거나 받지 아니한다. 사무총장과 직원은 이 기구에 대하여만 책임을 지는 국제공무원으로서의 지위를 손상할 우려가 있는 어떠한 행동도 삼간다.

2. 각 국제연합회원국은 사무총장 및 직원의 책임의 전적으로 국제적인 성격을 존중할 것과 그들의 책임수행에 있어서 그들에게 영향력을 행사하려 하지 아니할 것을 약속한다.

제 101 조

1. 직원은 총회가 정한 규칙에 따라 사무총장에 의하여 임명된다.

2. 경제사회이사회.신탁통치이사회 그리고 필요한 경우에는 국제연합의 다른 기관에 적절한 직원이 상임으로 배속된다. 이 직원은 사무국의 일부를 구성한다.

3. 직원의 고용과 근무조건의 결정에 있어서 가장 중요한 고려사항은 최고수준의 능률, 능력 및 성실성을 확보할 필요성이다. 가능한 한 광범위한 지리적 기초에 근거하여 직원을 채용하는 것의 중요성에 관하여 적절히 고려한다.

제 16 장
잡   칙

제 102 조

1. 이 헌장이 발효한 후 국제연합회원국이 체결하는 모든 조약과 모든 국제협정은 가능한 한 신속히 사무국에 등록되고 사무국에 의하여 공표된다.

2. 이 조 제1항의 규정에 따라 등록되지 아니한 조약 또는 국제협정의 당사국은 국제연합의 어떠한 기관에 대하여도 그 조약 또는 협정을 원용할 수 없다.

제 103 조

국제연합회원국의 헌장상의 의무와 다른 국제협정상의 의무가 상충되는 경우에는 이 헌장상의 의무가 우선한다.

제 104 조

기구는 그 임무의 수행과 그 목적의 달성을 위하여 필요한 법적 능력을 각 회원국의 영역안에서 향유한다.

제 105 조

1. 기구는 그 목적의 달성에 필요한 특권 및 면제를 각 회원국의 영역안에서 향유한다.

2. 국제연합회원국의 대표 및 기구의 직원은 기구와 관련된 그들의 임무를 독립적으로 수행하기 위하여 필요한 특권과 면제를 마찬가지로 향유한다.

3. 총회는 이 조 제1항 및 제2항의 적용세칙을 결정하기 위하여 권고하거나 이 목적을 위하여 국제연합회원국에게 협약을 제안할 수 있다.

제 17 장
과도적 안전보장조치

제 106 조

안전보장이사회가 제42조상의 책임의 수행을 개시할 수 있다고 인정하는 제43조에 규정된 특별협정이 발효할 때까지, 1943년 10월 30일에 모스크바에서 서명된 4개국 선언의 당사국 및 프랑스는 그 선언 제5항의 규정에 따라 국제 평화와 안전의 유지를 위하여 필요한 공동조치를 기구를 대신하여 취하기 위하여 상호간 및 필요한 경우 다른 국제연합회원국과 협의한다.

제 107 조

이 헌장의 어떠한 규정도 제2차 세계대전중 이 헌장 서명국의 적이었던 국가에 관한 조치로서, 그러한 조치에 대하여 책임을 지는 정부가 그 전쟁의 결과로서 취하였거나 허가한 것을 무효로 하거나 배제하지 아니한다.

0156

제 18 장
개   정

제 108 조

이 헌장의 개정은 총회 구성국의 3분의 2의 투표에 의하여 채택되고,
안전보장이사회의 모든 상임이사국을 포함한 국제연합회원국의 3분의 2에
의하여 각자의 헌법상 절차에 따라 비준되었을 때, 모든 국제연합회원국에
대하여 발효한다.

제 109 조

1. 이 헌장을 재심의하기 위한 국제연합회원국 전체회의는 총회 구성국의
3분의 2의 투표와 안전보장이사회의 9개 이사국의 투표에 의하여 결정되는 일자
및 장소에서 개최될 수 있다. 각 국제연합회원국은 이 회의에서 1개의 투표권을
가진다.

2. 이 회의의 3분의 2의 투표에 의하여 권고된 이 헌장의 어떠한 변경도,
안전보장이사회의 모든 상임이사국을 포함한 국제연합회원국의 3분의 2에
의하여 그들 각자의 헌법상 절차에 따라 비준되었을 때 발효한다.

3. 그러한 회의가 이 헌장의 발효후 총회의 제10차 연례회기까지 개최되지
아니하는 경우에는 그러한 회의를 소집하는 제안이 총회의 동 회기의 의제에
포함되어야 하며, 회의는 총회 구성국의 과반수의 투표와 안전보장이사회의
7개 이사국의 투표에 의하여 결정되는 경우에 개최된다.

제 19 장
비준 및 서명

제 110 조

1. 이 헌장은 서명국에 의하여 그들 각자의 헌법상 절차에 따라 비준된다.

0157

2.　비준서는 미합중국 정부에 기탁되며, 동 정부는 모든 서명국과 기구의 사무총장이 임명된 경우에는 사무총장에게 각 기탁을 통고한다.

3.　이 헌장은 중화민국·불란서·소비에트사회주의공화국연방·영국과 미합중국 및 다른 서명국의 과반수가 비준서를 기탁한 때에 발효한다.　비준서 기탁 의정서는 발효시 미합중국 정부가 작성하여 그 등본을 모든 서명국에 송부한다.

4.　이 헌장이 발효한 후에 이를 비준하는 이 헌장의 서명국은 각자의 비준서 기탁일에 국제연합의 원회원국이 된다.

제　111　조

중국어·불어·러시아어·영어 및 스페인어본이 동등하게 정본인 이 헌장은 미합중국 정부의 문서보관소에 기탁된다.　이 헌장의 인증등본은 동 정부가 다른 서명국 정부에 송부한다.

이상의 증거로서, 연합국 정부의 대표들은 이 헌장에 서명하였다.

일천구백사십오년 유월 이십육일 샌프란시스코시에서 작성하였다.

0158

국 제 사 법   재 판 소   규 정

국제사법재판소규정

제 1 조

국제연합의 주요한 사법기관으로서 국제연합헌장에 의하여 설립되는 국제사법
재판소는 재판소규정의 규정들에 따라 조직되며 임무를 수행한다.

제 1 장
재판소의 조직

제 2 조

재판소는 덕망이 높은 자로서 각국가에서 최고법관으로 임명되는데 필요한
자격을 가진 자 또는 국제법에 정통하다고 인정된 법률가중에서 국적에 관계없이
선출되는 독립적 재판관의 일단으로 구성된다.

제 3 조

1. 재판소는 15인의 재판관으로 구성된다. 다만, 2인이상이 동일국의
국민이어서는 아니된다.

2. 재판소에서 재판관의 자격을 정함에 있어서 2이상의 국가의 국민으로
인정될 수 있는 자는 그가 통상적으로 시민적 및 정치적 권리를 행사하는 국가의
국민으로 본다.

제 4 조

1. 재판소의 재판관은 상설중재재판소의 국별재판관단이 지명한 자의 명부
중에서 다음의 규정들에 따라 총회 및 안전보장이사회가 선출한다.

- 51 -

0160

2. 상설중재재판소에서 대표되지 아니하는 국제연합회원국의 경우에는, 재판관후보자는 상설중재재판소 재판관에 관하여 국제분쟁의 평화적 해결을 위한 1907년 헤이그협약 제44조에 규정된 조건과 동일한 조건에 따라 각국 정부가 임명하는 국별재판관단이 지명한다.

3. 재판소규정의 당사국이지만 국제연합의 비회원국인 국가가 재판소의 재판관 선거에 참가할 수 있는 조건은, 특별한 협정이 없는 경우에는, 안전보장이사회의 권고에 따라 총회가 정한다.

제 5 조

1. 선거일부터 적어도 3월전에 국제연합사무총장은, 재판소규정의 당사국인 국가에 속하는 상설중재재판소 재판관 및 제4조 제2항에 의하여 임명되는 국별재판관단의 구성원에게, 재판소의 재판관의 직무를 수락할 지위에 있는 자의 지명을 일정한 기간내에 각 국별재판관단마다 행할 것을 서면으로 요청한다.

2. 어떠한 국별재판관단도 4인을 초과하여 후보자를 지명할 수 없으며, 그중 3인이상이 자국국적의 소유자이어서도 아니된다. 어떠한 경우에도 하나의 국별재판관단이 지명하는 후보자의 수는 충원할 재판관석 수의 2배를 초과하여서는 아니된다.

제 6 조

이러한 지명을 하기 전에 각 국별재판관단은 자국의 최고법원·법과대학·법률학교 및 법률연구에 종사하는 학술원 및 국제학술원의 자국지부와 협의하도록 권고받는다.

0161

제 7 조

1. 사무총장은 이와 같이 지명된 모든 후보자의 명부를 알파벳순으로 작성한다. 제12조 제2항에 규정된 경우를 제외하고 이 후보자들만이 피선될 자격을 가진다.

2. 사무총장은 이 명부를 총회 및 안전보장이사회에 제출한다.

제 8 조

총회 및 안전보장이사회는 각각 독자적으로 재판소의 재판관을 선출한다.

제 9 조

모든 선거에 있어서 선거인은 피선거인이 개인적으로 필요한 자격을 가져야 할 뿐만 아니라 전체적으로 재판관단이 세계의 주요문명형태 및 주요법체계를 대표하여야 함에 유념한다.

제 10 조

1. 총회 및 안전보장이사회에서 절대다수표를 얻은 후보자는 당선된 것으로 본다.

2. 안전보장이사회의 투표는, 재판관의 선거를 위한 것이든지 또는 제12조에 규정된 협의회의 구성원의 임명을 위한 것이든지, 안전보장이사회의 상임이사국과 비상임이사국간에 구별없이 이루어진다.

3. 2인이상의 동일국가 국민이 총회 및 안전보장이사회의 투표에서 모두 절대다수표를 얻은 경우에는 그중 최연장자만이 당선된 것으로 본다.

- 53 -

0162

- 54 -

제 11 조

선거를 위하여 개최된 제1차 회의후에도 충원되어야 할 1 또는 그 이상의
재판관석이 남는 경우에는 제2차 회의가, 또한 필요한 경우 제3차 회의가 개최된다.

제 12 조

1. 제3차 회의후에도 충원되지 아니한 1 또는 그 이상의 재판관석이 여전히
남는 경우에는, 3인은 총회가, 3인은 안전보장이사회가 임명하는 6명으로 구성되는
합동협의회가 각공석당 1인을 절대다수표로써 선정하여 총회 및 안전보장이사회가
각각 수락하도록 하기 위하여 총회 또는 안전보장이사회중 어느 일방의 요청에
의하여 언제든지 설치될 수 있다.

2. 요구되는 조건을 충족한 자에 대하여 합동협의회가 전원일치로 동의한
경우에는, 제7조에 규정된 지명명부중에 기재되지 아니한 자라도 협의회의
명부에 기재될 수 있다.

3. 합동협의회가 당선자를 확보할 수 없다고 인정하는 경우에는 이미 선출된
재판소의 재판관들은 총회 또는 안전보장이사회중 어느 일방에서라도 득표한 후보자
중에서 안전보장이사회가 정하는 기간내에 선정하여 공석을 충원한다.

4. 재판관간의 투표가 동수인 경우에는 최연장재판관이 결정투표권을 가진다.

제 13 조

1. 재판소의 재판관은 9년의 임기로 선출되며 재선될 수 있다. 다만, 제1회
선거에서 선출된 재판관중 5인의 재판관의 임기는 3년후에 종료되며, 다른 5인의
재판관의 임기는 6년후에 종료된다.

0163

2. 위에 규정된 최초의 3년 및 6년의 기간후에 임기가 종료되는 재판관은 제1회 선거가 완료된 직후 사무총장이 추첨으로 선정한다.

3. 재판소의 재판관은 후임자가 충원될 때까지 계속 직무를 수행한다. 충원후에도 재판관은 이미 착수한 사건을 완결한다.

4. 재판소의 재판관이 사임하는 경우 사표는 재판소장에게 제출되며, 사무총장에게 전달된다. 이러한 최후의 통고에 의하여 공석이 생긴다.

제 14 조

공석은 후단의 규정에 따를 것을 조건으로 제1회 선거에 관하여 정한 방법과 동일한 방법으로 충원된다. 사무총장은 공석이 발생한 후 1월이내에 제5조에 규정된 초청장을 발송하며, 선거일은 안전보장이사회가 정한다.

제 15 조

임기가 종료되지 아니한 재판관을 교체하기 위하여 선출된 재판소의 재판관은 전임자의 잔임기간동안 재직한다.

제 16 조

1. 재판소의 재판관은 정치적 또는·행정적인 어떠한 임무도 수행할 수 없으며, 또는 전문적 성질을 가지는 다른 어떠한 직업에도 종사할 수 없다.

2. 이 점에 관하여 의문이 있는 경우에는 재판소의 결정에 의하여 해결한다.

제 17 조

1. 재판소의 재판관은 어떠한 사건에 있어서도 대리인·법률고문 또는 변호인으로서 행동할 수 없다.

2. 재판소의 재판관은 일방당사자의 대리인·법률고문 또는 변호인으로서, 국내법원 또는 국제법원의 법관으로서, 조사위원회의 위원으로서, 또는 다른 어떠한 자격으로서도, 이전에 그가 관여하였던 사건의 판결에 참여할 수 없다.

3. 이 점에 관하여 의문이 있는 경우에는 재판소의 결정에 의하여 해결한다.

제 18 조

1. 재판소의 재판관은, 다른 재판관들이 전원일치의 의견으로써 그가 요구되는 조건을 충족하지 못하게 되었다고 인정하는 경우를 제외하고는, 해임될 수 없다.

2. 해임의 정식통고는 재판소서기가 사무총장에게 한다.

3. 이러한 통고에 의하여 공석이 생긴다.

제 19 조

재판소의 재판관은 재판소의 업무에 종사하는 동안 외교특권 및 면제를 향유한다.

제 20 조

재판소의 모든 재판관은 직무를 개시하기 전에 자기의 직권을 공평하고 양심적으로 행사할 것을 공개된 법정에서 엄숙히 선언한다.

0165

제 21 조

1. 재판소는 3년 임기로 재판소장 및 재판소부소장을 선출한다. 그들은 재선될 수 있다.

2. 재판소는 재판소서기를 임명하며 필요한 다른 직원의 임명에 관하여 규정할 수 있다.

제 22 조

1. 재판소의 소재지는 헤이그로 한다. 다만, 재판소가 바람직하다고 인정하는 때에는 다른 장소에서 개정하여 그 임무를 수행할 수 있다.

2. 재판소장 및 재판소서기는 재판소의 소재지에 거주한다.

제 23 조

1. 재판소는 재판소가 휴가중인 경우를 제외하고는 항상 개정하며, 휴가의 시기 및 기간은 재판소가 정한다.

2. 재판소의 재판관은 정기휴가의 권리를 가진다. 휴가의 시기 및 기간은 헤이그와 각재판관의 가정간의 거리를 고려하여 재판소가 정한다.

3. 재판소의 재판관은 휴가중에 있는 경우이거나 질병 또는 재판소장에 대하여 정당하게 해명할 수 있는 다른 중대한 사유로 인하여 출석할 수 없는 경우를 제외 하고는 항상 재판소의 명에 따라야 할 의무를 진다.

0166

제 24 조

1. 재판소의 재판관은 특별한 사유로 인하여 특정사건의 결정에 자신이 참여하여서는 아니된다고 인정하는 경우에는 재판소장에게 그 점에 관하여 통보한다.

2. 재판소장은 재판소의 재판관중의 한 사람이 특별한 사유로 인하여 특정사건에 참여하여서는 아니된다고 인정하는 경우에는 그에게 그 점에 관하여 통보한다.

3. 그러한 모든 경우에 있어서 재판소의 재판관과 재판소장의 의견이 일치하지 아니하는 때에는 그 문제는 재판소의 결정에 의하여 해결한다.

제 25 조

1. 재판소규정에 달리 명문의 규정이 있는 경우를 제외하고는 재판소는 전원이 출석하여 개정한다.

2. 재판소를 구성하기 위하여 응할 수 있는 재판관의 수가 11인 미만으로 감소되지 아니할 것을 조건으로, 재판소규칙은 상황에 따라서 또한 윤번으로 1인 또는 그 이상의 재판관의 출석을 면제할 수 있음을 규정할 수 있다.

3. 재판소를 구성하는데 충분한 재판관의 정족수는 9인으로 한다.

제 26 조

1. 재판소는 특정한 부류의 사건, 예컨대 노동사건과 통과 및 운수통신에 관한 사건을 처리하기 위하여 재판소가 결정하는 바에 따라 3인 또는 그 이상의 재판관으로 구성되는 1 또는 그 이상의 소재판부를 수시로 설치할 수 있다.

0167

2. 재판소는 특정사건을 처리하기 위한 소재판부를 언제든지 설치할 수 있다. 그러한 소재판부를 구성하는 재판관의 수는 당사자의 승인을 얻어 재판소가 결정한다.

3. 당사자가 요청하는 경우에는 이 조에서 규정된 소재판부가 사건을 심리하고 결정한다.

제 27 조

제26조 및 제29조에 규정된 소재판부가 선고한 판결은 재판소가 선고한 것으로 본다.

제 28 조

제26조 및 제29조에 규정된 소재판부는 당사자의 동의를 얻어 헤이그외의 장소에서 개정하여, 그 임무를 수행할 수 있다.

제 29 조

업무의 신속한 처리를 위하여 재판소는, 당사자의 요청이 있는 경우 간이소송 절차로 사건을 심리하고 결정할 수 있는, 5인의 재판관으로 구성되는 소재판부를 매년 설치한다. 또한 출석할 수 없는 재판관을 교체하기 위하여 2인의 재판관을 선정한다.

제 30 조

1. 재판소는 그 임무를 수행하기 위하여 규칙을 정한다. 재판소는 특히 소송 절차규칙을 정한다.

2. 재판소규칙은 재판소 또는 그 소재판부에 투표권없이 출석하는 보좌인에 관하여 규정할 수 있다.

제 31 조

1. 각당사자의 국적재판관은 재판소에 제기된 사건에 출석할 권리를 가진다.

2. 재판소가 그 재판관석에 당사자중 1국의 국적재판관을 포함시키는 경우에는 다른 어느 당사자도 재판관으로서 출석할 1인을 선정할 수 있다. 다만, 그러한 자는 되도록이면 제4조 및 제5조에 규정된 바에 따라 후보자로 지명된 자중에서 선정된다.

3. 재판소가 그 재판관석에 당사자의 국적재판관을 포함시키지 아니한 경우에는 각당사자는 제2항에 규정된 바에 따라 재판관을 선정할 수 있다.

4. 이 조의 규정은 제26조 및 제29조의 경우에 적용된다. 그러한 경우에 재판소장은 소재판부를 구성하고 있는 재판관중 1인 또는 필요한 때에는 2인에 대하여, 관계당사자의 국적재판관에게 또한 그러한 국적재판관이 없거나 출석할 수 없는 때에는 당사자가 특별히 선정하는 재판관에게, 재판관석을 양보할 것을 요청한다.

5. 동일한 이해관계를 가진 수개의 당사자가 있는 경우에, 그 수개의 당사자는 위 규정들의 목적상 단일당사자로 본다. 이 점에 관하여 의문이 있는 경우에는 재판소의 결정에 의하여 해결한다.

6. 제2항·제3항 및 제4항에 규정된 바에 따라 선정되는 재판관은 재판소 규정의 제2조·제17조(제2항)·제20조 및 제24조가 요구하는 조건을 충족하여야 한다. 그러한 재판관은 자기의 동료와 완전히 평등한 조건으로 결정에 참여한다.

0169

제 32 조

1. 재판소의 각재판관은 연봉을 받는다.

2. 재판소장은 특별년차수당을 받는다.

3. 재판소부소장은 재판소장으로서 활동하는 모든 날자에 대하여 특별수당을 받는다.

4. 제31조에 의하여 선정된 재판관으로서 재판소의 재판관이 아닌 자는 자기의 임무를 수행하는 각 날자에 대하여 보상을 받는다.

5. 이러한 봉급·수당 및 보상은 총회가 정하며 임기중 감액될 수 없다.

6. 재판소서기의 봉급은 재판소의 제의에 따라 총회가 정한다.

7. 재판소의 재판관 및 재판소서기에 대하여 퇴직연금이 지급되는 조건과 재판소의 재판관 및 재판소서기가 그 여비를 상환받는 조건은 총회가 제정하는 규칙에서 정하여진다.

8. 위의 봉급·수당 및 보상은 모든 과세로부터 면제된다.

제 33 조

재판소의 경비는 총회가 정하는 방식에 따라 국제연합이 부담한다.

제 2 장
재판소의 관할

제 34 조

1. 국가만이 재판소에 제기되는 사건의 당사자가 될 수 있다.

0170

2. 재판소는 재판소규칙이 정하는 조건에 따라 공공 국제기구에게 재판소에 제기된 사건과 관련된 정보를 요청할 수 있으며, 또한 그 국제기구가 자발적으로 제공하는 정보를 수령한다.

3. 공공 국제기구의 설립문서 또는 그 문서에 의하여 채택된 국제협약의 해석이 재판소에 제기된 사건에서 문제로 된 때에는 재판소서기는 당해 공공 국제기구에 그 점에 관하여 통고하며, 소송절차상의 모든 서류의 사본을 송부한다.

제 35 조

1. 재판소는 재판소규정의 당사국에 대하여 개방된다.

2. 재판소를 다른 국가에 대하여 개방하기 위한 조건은 현행 제조약의 특별한 규정에 따를 것을 조건으로 안전보장이사회가 정한다. 다만, 어떠한 경우에도 그러한 조건은 당사자들을 재판소에 있어서 불평등한 지위에 두게 하는 것이어서는 아니된다.

3. 국제연합의 회원국이 아닌 국가가 사건의 당사자인 경우에는 재판소는 그 당사자가 재판소의 경비에 대하여 부담할 금액을 정한다. 그러한 국가가 재판소의 경비를 분담하고 있는 경우에는 적용되지 아니한다.

제 36 조

1. 재판소의 관할은 당사자가 재판소에 회부하는 모든 사건과 국제연합헌장 또는 현행의 제조약 및 협약에서 특별히 규정된 모든 사항에 미친다.

2. 재판소규정의 당사국은 다음 사항에 관한 모든 법률적 분쟁에 대하여 재판소의 관할을, 동일한 의무를 수락하는 모든 다른 국가와의 관계에 있어서 당연히 또한 특별한 합의없이도, 강제적인 것으로 인정한다는 것을 언제든지 선언할 수 있다.

0171

가. 조약의 해석

나. 국제법상의 문제

다. 확인되는 경우, 국제의무의 위반에 해당하는 사실의 존재

라. 국제의무의 위반에 대하여 이루어지는 배상의 성질 또는 범위

3. 위에 규정된 선언은 무조건으로, 수개 국가 또는 일정 국가와의 상호주의의 조건으로, 또는 일정한 기간을 정하여 할 수 있다.

4. 그러한 선언서는 국제연합사무총장에게 기탁되며, 사무총장은 그 사본을 재판소규정의 당사국과 국제사법재판소서기에게 송부한다.

5. 상설국제사법재판소규정 제36조에 의하여 이루어진 선언으로서 계속 효력을 가지는 것은, 재판소규정의 당사국사이에서는, 이 선언이 금후 존속하여야 할 기간동안 그리고 이 선언의 조건에 따라 재판소의 강제적 관할을 수락한 것으로 본다.

6. 재판소가 관할권을 가지는지의 여부에 관하여 분쟁이 있는 경우에는, 그 문제는 재판소의 결정에 의하여 해결된다.

제 37 조

현행의 조약 또는 협약이 국제연맹이 설치한 재판소 또는 상설국제사법 재판소에 어떤 사항을 회부하는 것을 규정하고 있는 경우에 그 사항은 재판소 규정의 당사국사이에서는 국제사법재판소에 회부된다.

- 63 -

0172

제 38 조

1. 재판소는 재판소에 회부된 분쟁을 국제법에 따라 재판하는 것을 임무로
하며, 다음을 적용한다.

　　가. 분쟁국에 의하여 명백히 인정된 규칙을 확립하고 있는 일반적인 또는
　　　　특별한 국제협약

　　나. 법으로 수락된 일반관행의 증거로서의 국제관습

　　다. 문명국에 의하여 인정된 법의 일반원칙

　　라. 법칙결정의 보조수단으로서의 사법판결 및 제국의 가장 우수한 국제법
　　　　학자의 학설. 다만, 제59조의 규정에 따를 것을 조건으로 한다.

2. 이 규정은 당사자가 합의하는 경우에 재판소가 형평과 선에 따라 재판하는
권한을 해하지 아니한다.

제 3 장
소송절차

제 39 조

1. 재판소의 공용어는 불어 및 영어로 한다. 당사자가 사건을 불어로 처리
하는 것에 동의하는 경우 판결은 불어로 한다. 당사자가 사건을 영어로 처리하는
것에 동의하는 경우 판결은 영어로 한다.

2. 어떤 공용어를 사용할 것인지에 대한 합의가 없는 경우에, 각당사자는
자국이 선택하는 공용어를 변론절차에서 사용할 수 있으며, 재판소의 판결은 불어
및 영어로 한다. 이러한 경우에 재판소는 두개의 본문중 어느 것을 정본으로 할
것인가를 아울러 결정한다.

0173

3. 재판소는 당사자의 요청이 있는 경우 그 당사자가 불어 또는 영어외의 언어를 사용하도록 허가한다.

제 40 조

1. 재판소에 대한 사건의 제기는 각경우에 따라 재판소서기에게 하는 특별한 합의의 통고에 의하여 또는 서면신청에 의하여 이루어진다. 어느 경우에도 분쟁의 주제 및 당사자가 표시된다.

2. 재판소서기는 즉시 그 신청을 모든 이해관계자에게 통보한다.

3. 재판소서기는 사무총장을 통하여 국제연합회원국에게도 통고하며, 또한 재판소에 출석할 자격이 있는 어떠한 다른 국가에게도 통고한다.

제 41 조

1. 재판소는 사정에 의하여 필요하다고 인정하는 때에는 각당사자의 각각의 권리를 보전하기 위하여 취하여져야 할 잠정조치를 제시할 권한을 가진다.

2. 종국판결이 있을 때까지, 제시되는 조치는 즉시 당사자 및 안전보장 이사회에 통지된다.

제 42 조

1. 당사자는 대리인에 의하여 대표된다.

2. 당사자는 재판소에서 법률고문 또는 변호인의 조력을 받을 수 있다.

3. 재판소에서 당사자의 대리인·법률고문 및 변호인은 자기의 직무를 독립적으로 수행하는데 필요한 특권 및 면제를 향유한다.

- 65 -

0174

제 43 조

1. 소송절차는 서면소송절차 및 구두소송절차의 두부분으로 구성된다.

2. 서면소송절차는 준비서면·답변서 및 필요한 경우 항변서와 원용할 수 있는 모든 문서 및 서류를 재판소와 당사자에게 송부하는 것으로 이루어진다.

3. 이러한 송부는 재판소가 정하는 순서에 따라 재판소가 정하는 기간내에 재판소서기를 통하여 이루어진다.

4. 일방당사자가 제출한 모든 서류의 인증사본 1통은 타방당사자에게 송부된다.

5. 구두소송절차는 재판소가 증인·감정인·대리인·법률고문 및 변호인에 대하여 심문하는 것으로 이루어진다.

제 44 조

1. 재판소는 대리인·법률고문 및 변호인외의 자에 대한 모든 통지의 송달을, 그 통지가 송달될 지역이 속하는 국가의 정부에게 직접 한다.

2. 위의 규정은 현장에서 증거를 수집하기 위한 조치를 취하여야 할 경우에도 동일하게 적용된다.

제 45 조

심리는 재판소장 또는 재판소장이 주재할 수 없는 경우에는 재판소부소장이 지휘한다. 그들 모두가 주재할 수 없을 때에는 출석한 선임재판관이 주재한다.

0175

제 46 조

재판소에서의 심리는 공개된다. 다만, 재판소가 달리 결정하는 경우 또는 당사자들이 공개하지 아니할 것을 요구하는 경우에는 그러하지 아니하다.

제 47 조

1. 매 심리마다 조서를 작성하고 재판소서기 및 재판소장이 서명한다.

2. 이 조서만이 정본이다.

제 48 조

재판소는 사건을 진행을 위한 명령을 발하고, 각당사자가 각각의 진술을 종결하여야 할 방식 및 시기를 결정하며, 증거조사에 관련되는 모든 조치를 취한다.

제 49 조

재판소는 심리의 개시전에도 서류를 제출하거나 설명을 할 것을 대리인에게 요청할 수 있다. 거절하는 경우에는 정식으로 이를 기록하여 둔다.

제 50 조

재판소는 재판소가 선정하는 개인·단체·관공서·위원회 또는 다른 조직에게 조사의 수행 또는 감정의견의 제출을 언제든지 위탁할 수 있다.

제 51 조

심리중에는 제30조에 규정된 소송절차규칙에서 재판소가 정한 조건에 따라 증인 및 감정인에게 관련된 모든 질문을 한다.

- 67 -

0176

제 52 조

재판소는 그 목적을 위하여 정하여진 기간내에 증거 및 증언을 수령한 후에는, 타방당사자가 동의하지 아니하는 한, 일방당사자가 제출하고자 하는 어떠한 새로운 인증 또는 서증도 그 수리를 거부할 수 있다.

제 53 조

1. 일방당사자가 재판소에 출석하지 아니하거나 또는 그 사건을 방어하지 아니하는 때에는 타방당사자는 자기의 청구에 유리하게 결정할 것을 재판소에 요청할 수 있다.

2. 재판소는, 그렇게 결정하기 전에, 제36조 및 제37조에 따라 재판소가 관할권을 가지고 있을 뿐만 아니라 그 청구가 사실 및 법에 충분히 근거하고 있음을 확인하여야 한다.

제 54 조

1. 재판소의 지휘에 따라 대리인·법률고문 및 변호인이 사건에 관한 진술을 완료한 때에는 재판소장은 심리가 종결되었음을 선언한다.

2. 재판소는 판결을 심의하기 위하여 퇴정한다.

3. 재판소의 평의는 비공개로 이루어지며 비밀로 한다.

제 55 조

1. 모든 문제는 출석한 재판관의 과반수로 결정된다.

2. 가부동수인 경우에는 재판소장 또는 재판소장을 대리하는 재판관이 결정투표권을 가진다.

0177

제 56 조

1. 판결에는 판결이 기초하고 있는 이유를 기재한다.

2. 판결에는 결정에 참여한 재판관의 성명이 포함된다.

제 57 조

판결이 전부 또는 부분적으로 재판관 전원일치의 의견을 나타내지 아니한 때에는 어떠한 재판관도 개별의견을 제시할 권리를 가진다.

제 58 조

판결에는 재판소장 및 재판소서기가 서명한다. 판결은 대리인에게 적절히 통지된 후 공개된 법정에서 낭독된다.

제 59 조

재판소의 결정은 당사자사이와 그 특정사건에 관하여서만 구속력을 가진다.

제 60 조

판결은 종국적이며 상소할 수 없다. 판결의 의미 또는 범위에 관하여 분쟁이 있는 경우에는 재판소는 당사자의 요청에 의하여 이를 해석한다.

제 61 조

1. 판결의 재심청구는 재판소 및 재심을 청구하는 당사자가 판결이 선고되었을 당시에는 알지 못하였던 결정적 요소로 될 성질을 가진 어떤 사실의 발견에 근거하는 때에 한하여 할 수 있다. 다만, 그러한 사실을 알지 못한 것이 과실에 의한 것이 아니었어야 한다.

0178

2. 재심의 소송절차는 새로운 사실이 존재함을 명기하고, 그 새로운 사실이 사건을 재심할 성질의 것임을 인정하고, 또한 재심청구가 이러한 이유로 허용될 수 있음을 선언하고 있는 재판소의 판결에 의하여 게시된다.

3. 재판소는 재심의 소송절차를 허가하기 전에 원판결의 내용을 먼저 준수하도록 요청할 수 있다.

4. 재심청구는 새로운 사실을 발견한 때부터 늦어도 6월 이내에 이루어져야 한다.

5. 판결일부터 10년이 지난후에는 재심청구를 할 수 없다.

제 62 조

1. 사건의 결정에 의하여 영향을 받을 수 있는 법률적 성질의 이해관계가 있다고 인정하는 국가는 재판소에 그 소송에 참가하는 것을 허락하여 주도록 요청할 수 있다.

2. 재판소는 이 요청에 대하여 결정한다.

제 63 조

1. 사건에 관련된 국가 이외의 다른 국가가 당사국으로 있는 협약의 해석이 문제가 된 경우에는 재판소서기는 즉시 그러한 모든 국가에게 통고한다.

2. 그렇게 통고를 받은 모든 국가는 그 소송절차에 참가할 권리를 가진다. 다만, 이 권리를 행사한 경우에는 판결에 의하여 부여된 해석은 그 국가에 대하여도 동일한 구속력을 가진다.

0179

제 64 조

재판소가 달리 결정하지 아니하는 한 각당사자는 각자의 비용을 부담한다.

제 4 장
권고적 의견

제 65 조

1. 재판소는 국제연합헌장에 의하여 또는 이 헌장에 따라 권고적 의견을 요청하는 것을 허가받은 기관이 그러한 요청을 하는 경우에 어떠한 법률문제에 관하여도 권고적 의견을 부여할 수 있다.

2. 재판소의 권고적 의견을 구하는 문제는, 그 의견을 구하는 문제에 대하여 정확하게 기술하고 있는 요청서에 의하여 재판소에 제기된다. 이 요청서에는 그 문제를 명확하게 할 수 있는 모든 서류를 첨부한다.

제 66 조

1. 재판소서기는 권고적 의견이 요청된 사실을 재판소에 출석할 자격이 있는 모든 국가에게 즉시 통지한다.

2. 재판소서기는 또한, 재판소에 출석할 자격이 있는 모든 국가에게, 또는 그 문제에 관한 정보를 제공할 수 있다고 재판소 또는 재판소가 개정중이 아닌 때에는 재판소장이 인정하는 국제기구에게, 재판소장이 정하는 기간내에, 재판소가 그 문제에 관한 진술서를 수령하거나 또는 그 목적을 위하여 열리는 공개법정에서 그 문제에 관한 구두진술을 청취할 준비가 되어 있음을 특별하고도 직접적인 통신 수단에 의하여 통고한다.

- 71 -

0180

3. 재판소에 출석할 자격이 있는 그러한 어떠한 국가도 제2항에 규정된 특별통지를 받지 아니하였을 때에는 진술서를 제출하거나 또는 구두로 진술하기를 희망한다는 것을 표명할 수 있다. 재판소는 이에 관하여 결정한다.

4. 서면 또는 구두진술 또는 양자 모두를 제출한 국가 및 기구는, 재판소 또는 재판소가 개정중이 아닌 때에는 재판소장이 각 특정사건에 있어서 정하는 형식·범위 및 기간내에 다른 국가 또는 기구가 한 진술에 관하여 의견을 개진하는 것이 허용된다. 따라서 재판소서기는 그러한 진술서를 이와 유사한 진술서를 제출한 국가 및 기구에게 적절한 시기에 송부한다.

제 67 조

재판소는 사무총장 및 직접 관계가 있는 국제연합회원국·다른 국가 및 국제기구의 대표에게 통지한 후 공개된 법정에서 그 권고적 의견을 발표한다.

제 68 조

권고적 임무를 수행함에 있어서 재판소는 재판소가 적용할 수 있다고 인정하는 범위안에서 쟁송사건에 적용되는 재판소규정의 규정들에 또한 따른다.

제 5 장
개 정

제 69 조

재판소규정의 개정은 국제연합헌장이 그 헌장의 개정에 관하여 규정한 절차와 동일한 절차에 의하여 이루어진다. 다만, 재판소규정의 당사국이면서 국제연합 회원국이 아닌 국가의 참가에 관하여는 안전보장이사회의 권고에 의하여 총회가 채택한 규정에 따른다.

0181

제 78 조

　　재판소는 제69조의 규정에 따른 심의를 위하여 재판소가 필요하다고 인정하는 재판소규정의 개정을, 사무총장에 대한 서면통보로써, 제안할 권한을 가진다.

0182

CHARTER OF THE UNITED NATIONS

0183

CHARTER OF THE UNITED NATIONS

WE, THE PEOPLES OF THE UNITED NATIONS,

DETERMINED

> to save succeeding generations from the scourge of war, which twice in our lifetime has brought untold sorrow to mankind, and

> to reaffirm faith in fundamental human rights, in the dignity and worth of the human person, in the equal rights of men and women and of nations large and small, and

> to establish conditions under which justice and respect for the obligations arising from treaties and other sources of international law can be maintained, and

> to promote social progress and better standards of life in larger freedom,

AND FOR THESE ENDS

> to practice tolerance and live together in peace with one another as good neighbours, and

> to unite our strength to maintain international peace and security, and

> to ensure, by the acceptance of principles and the institution of methods, that armed force shall not be used, save in the common interest, and

> to employ international machinery for the promotion of the economic and social advancement of all peoples,

HAVE RESOLVED TO COMBINE OUR EFFORTS

TO ACCOMPLISH THESE AIMS.

Accordingly, our respective Governments, through representatives assembled in the city of San Francisco, who have exhibited their full powers found to be in good and due form, have agreed to the present Charter of the United Nations and do hereby establish an international organization to be known as the United Nations.

0184

CHAPTER I

PURPOSES AND PRINCIPLES

Article 1

The Purposes of the United Nations are:

1. To maintain international peace and security, and to that end: to take effective collective measures for the prevention and removal of threats to the peace, and for the suppression of acts of aggression or other breaches of the peace, and to bring about by peaceful means, and in conformity with the principles of justice and international law, adjustment or settlement of international disputes or situations which might lead to a breach of the peace;
2. To develop friendly relations among nations based on respect for the principle of equal rights and self-determination of peoples, and to take other appropriate measures to strengthen universal peace;

3. To achieve international co-operation in solving international problems of an economic, social, cultural, or humanitarian character, and in promoting and encouraging respect for human rights and for fundamental freedoms for all without distinction as to race, sex, language, or religion; and
4. To be a centre for harmonizing the actions of nations in the attainment of these common ends.

Article 2

The Organization and its Members, in pursuit of the Purposes stated in Article 1, shall act in accordance with the following Principles:

1. The Organization is based on the principle of the sovereign equality of all its Members.
2. All Members, in order to ensure to all of them the rights and benefits resulting from membership, shall fulfil in good faith the obligations assumed by them in accordance with the present Charter.

3. All Members shall settle their international disputes by peaceful means in such a manner that international peace and security, and justice, are not endangered.
4. All Members shall refrain in their international relations from the threat or use of force against the territorial integrity or political independence of any State, or in any other manner inconsistent with the Purposes of the United Nations.
5. All Members shall give the United Nations every assistance in any action it takes in accordance with the present Charter, and shall refrain from giving assistance to any State against which the United Nations is taking preventive or enforcement action.

0185

6. The Organization shall ensure that States which are not Members of the United Nations act in accordance with these Principles so far as may be necessary for the maintenance of international peace and security.

7. Nothing contained in the present Charter shall authorize the United Nations to intervene in matters which are essentially within the domestic jurisdiction of any State or shall require the Members to submit such matters to settlement under the present Charter; but this principle shall not prejudice the application of enforcement measures under Chapter VII.

CHAPTER II

MEMBERSHIP

Article 3

The original Members of the United Nations shall be the States which, having participated in the United Nations Conference on International Organization at San Francisco, or having previously signed the Declaration by United Nations of 1 January 1942, sign the present Charter and ratify it in accordance with Article 110.

Article 4

1. Membership in the United Nations is open to all other peace-loving States which accept the obligations contained in the present Charter and, in the judgment of the Organization, are able and willing to carry out these obligations.

2. The admission of any such State to membership in the United Nations will be effected by a decision of the General Assembly upon the recommendation of the Security Council.

Article 5

A Member of the United Nations against which preventive or enforcement action has been taken by the Security Council may be suspended from the exercise of the rights and privileges of membership by the General Assembly upon the recommendation of the Security Council. The exercise of these rights and privileges may be restored by the Security Council.

Article 6

A Member of the United Nations which has persistently violated the Principles contained in the present Charter may be expelled from the Organization by the General Assembly upon the recommendation of the Security Council.

- 79 -

0186

CHAPTER III

ORGANS

Article 7

1. There are established as the principal organs of the United Nations: a General Assembly, a Security Council, an Economic and Social Council, a Trusteeship Council, an International Court of Justice, and a Secretariat.

2. Such subsidiary organs as may be found necessary may be established in accordance with the present Charter.

Article 8

The United Nations shall place no restrictions on the eligibility of men and women to participate in any capacity and under conditions of equality in its principal and subsidiary organs.

CHAPTER IV

THE GENERAL ASSEMBLY

Composition

Article 9

1. The General Assembly shall consist of all the Members of the United Nations.
2. Each Member shall have not more than five representatives in the General Assembly.

Functions and Powers

Article 10

The General Assembly may discuss any questions or any matters within the scope of the present Charter or relating to the powers and functions of any organs provided for in the present Charter, and, except as provided in Article 12, may make recommendations to the Members of the United Nations or to the Security Council or to both on any such questions or matters.

Article 11

1. The General Assembly may consider the general principles of co-operation in the maintenance of international peace and security, including the principles governing disarmament and the regulation of ar-

0187

maments, and may make recommendations with regard to such principles to the Members or to the Security Council or to both.

2. The General Assembly may discuss any questions relating to the maintenance of international peace and security brought before it by any Member of the United Nations, or by the Security Council, or by a State which is not a Member of the United Nations in accordance with Article 35, paragraph 2, and, except as provided in Article 12, may make recommendations with regard to any such questions to the State or States concerned or to the Security Council or to both. Any such question on which action is necessary shall be referred to the Security Council by the General Assembly either before or after discussion.

3. The General Assembly may call the attention of the Security Council to situations which are likely to endanger international peace and security.

4. The powers of the General Assembly set forth in this Article shall not limit the general scope of Article 10.

Article 12

1. While the Security Council is exercising in respect of any dispute or situation the functions assigned to it in the present Charter, the General Assembly shall not make any recommendation with regard to that dispute or situation unless the Security Council so requests.

2. The Secretary-General, with the consent of the Security Council, shall notify the General Assembly at each session of any matters relative to the maintenance of international peace and security which are being dealt with by the Security Council and shall similarly notify the General Assembly, or the Members of the United Nations if the General Assembly is not in session, immediately the Security Council ceases to deal with such matters.

Article 13

1. The General Assembly shall initiate studies and make recommendations for the purpose of:
(a) promoting international co-operation in the political field and encouraging the progressive development of international law and its codification;
(b) promoting international co-operation in the economic, social, cultural, educational, and health fields, and assisting in the realization of human rights and fundamental freedoms for all without distinction as to race, sex, language, or religion.

2. The further responsibilities, functions and powers of the General Assembly with respect to matters mentioned in paragraph 1 (b) above are set forth in Chapters IX and X.

0188

Article 14

Subject to the provisions of Article 12, the General Assembly may recommend measures for the peaceful adjustment of any situation, regardless of origin, which it deems likely to impair the general welfare or friendly relations among nations, including situations resulting from a violation of the provisions of the present Charter setting forth the Purposes and Principles of the United Nations.

`Article 15

1. The General Assembly shall receive and consider annual and special reports from the Security Council; these reports shall include an account of the measures that the Security Council has decided upon or taken to maintain international peace and security.

2. The General Assembly shall receive and consider reports from the other organs of the United Nations.

Article 16

' The General Assembly shall perform such functions with respect to the international trusteeship system as are assigned to it under Chapters XII and XIII, including the approval of the trusteeship agreements for areas not designated as strategic.

Article 17

1. The General Assembly shall consider and approve the budget of the Organization.

2. The expenses of the Organization shall be borne by the Members as apportioned by the General Assembly.

3. The General Assembly shall consider and approve any financial and budgetary arrangements with specialized agencies referred to in Article 57 and shall examine the administrative budgets of such specialized agencies with a view to making recommendations to the agencies concerned.

Voting

Article 18

1. Each member of the General Assembly shall have one vote.

2. Decisions of the General Assembly on important questions shall be made by a two-thirds majority of the members present and voting. These questions shall include: recommendations with respect to the maintenance of international peace and security, the election of the non-permanent members of the Security Council, the election of the members of the Economic and Social Council, the election of members of the Trusteeship Council in accordance with paragraph 1 (c) of Article 86, the admission of new Members to the United Nations, the suspension of the rights and

0189

privileges of membership, the expulsion of Members, questions relating to the operation of the trusteeship system, and budgetary questions.

3. Decisions on other questions, including the determination of additional categories of questions to be decided by a two-thirds majority, shall be made by a majority of the members present and voting.

Article 19

A Member of the United Nations which is in arrears in the payment of its financial contributions to the Organization shall have no vote in the General Assembly if the amount of its arrears equals or exceeds the amount of the contributions due from it for the preceding two full years. The General Assembly may, nevertheless, permit such a Member to vote if it is satisfied that the failure to pay is due to conditions beyond the control of the Member.

Procedure

Article 20

The General Assembly shall meet in regular annual sessions and in such special sessions as occasion may require. Special sessions shall be convoked by the Secretary-General at the request of the Security Council or of a majority of the Members of the United Nations.

Article 21

The General Assembly shall adopt its own rules of procedure. It shall elect its President for each session.

Article 22

The General Assembly may establish such subsidiary organs as it deems necessary for the performance of its functions.

CHAPTER V

THE SECURITY COUNCIL

Composition

Article 23

1. The Security Council shall consist of fifteen Members of the United Nations. The Republic of China, France, the Union of Soviet Socialist Republics, the United Kingdom of Great Britain and Northern Ireland, and the United States of America shall be permanent members of the Security Council. The General Assembly shall elect ten other Members of the United Nations to be non-permanent members of the Security Coun-

0190

cil, due regard being specially paid, in the first instance to the contribution of Members of the United Nations to the maintenance of international peace and security and to the other purposes of the Organization, and also to equitable geographical distribution.

2. The non-permanent members of the Security Council shall be elected for a term of two years. In the first election of the non-permanent members after the increase of the membership of the Security Council from eleven to fifteen, two of the four additional members shall be chosen for a term of one year. A retiring member shall not be eligible for immediate re-election.

3. Each member of the Security Council shall have one representative.

Functions and Powers

Article 24

1. In order to ensure prompt and effective action by the United Nations, its Members confer on the Security Council primary responsibility for the maintenance of international peace and security, and agree that in carrying out its duties under this responsibility the Security Council acts on their behalf.

2. In discharging these duties the Security Council shall act in accordance with the Purposes and Principles of the United Nations. The specific powers granted to the Security Council for the discharge of these duties are laid down in Chapters VI, VII, VIII, and XII.

3. The Security Council shall submit annual and, when necessary, special reports to the General Assembly for its consideration.

Article 25

The Members of the United Nations agree to accept and carry out the decisions of the Security Council in accordance with the present Charter.

Article 26

In order to promote the establishment and maintenance of international peace and security with the least diversion for armaments of the world's human and economic resources, the Security Council shall be responsible for formulating, with the assistance of the Military Staff Committee referred to in Article 47, plans to be submitted to the Members of the United Nations for the establishment of a system for the regulation of armaments.

Voting

Article 27

1. Each member of the Security Council shall have one vote.

2. Decisions of the Security Council on procedural matters shall be made by an affirmative vote of nine members.

0191

3. Decisions of the Security Council on all other matters shall be made by an affirmative vote of nine members including the concurring votes of the permanent members; provided that, in decisions under Chapter VI, and under paragraph 3 of Article 52, a party to a dispute shall abstain from voting.

Procedure

Article 28

1. The Security Council shall be so organized as to be able to function continuously. Each member of the Security Council shall for this purpose be represented at all times at the seat of the Organization.

2. The Security Council shall hold periodic meetings at which each of its members may, if it so desires, be represented by a member of the government or by some other specially designated representative.

3. The Security Council may hold meetings at such places other than the seat of the Organization as in its judgment will best facilitate its work.

Article 29

The Security Council may establish such subsidiary organs as it deems necessary for the performance of its functions.

Article 30

The Security Council shall adopt its own rules of procedure, including the method of selecting its President.

Article 31

Any Member of the United Nations which is not a member of the Security Council may participate, without vote, in the discussion of any question brought before the Security Council whenever the latter considers that the interests of that Member are specially affected.

Article 32

Any Member of the United Nations which is not a member of the Security Council or any State which is not a Member of the United Nations, if it is a party to a dispute under consideration by the Security Council, shall be invited to participate, without vote, in the discussion relating to the dispute. The Security Council shall lay down such conditions as it deems just for the participation of a State which is not a Member of the United Nations.

CHAPTER VI

PACIFIC SETTLEMENT OF DISPUTES

Article 33

1. The parties to any dispute, the continuance of which is likely to endanger the maintenance of international peace and security, shall, first of all, seek a solution by negotiation, enquiry, mediation, conciliation, arbitration, judicial settlement, resort to regional agencies or arrangements, or other peaceful means of their own choice.

2. The Security Council shall, when it deems necessary, call upon the parties to settle their dispute by such means.

Article 34

The Security Council may investigate any dispute, or any situation which might lead to international friction or give rise to a dispute, in order to determine whether the continuance of the dispute or situation is likely to endanger the maintenance of international peace and security.

Article 35

1. Any Member of the United Nations may bring any dispute, or any situation of the nature referred to in Article 34, to the attention of the Security Council or of the General Assembly.

2. A State which is not a Member of the United Nations may bring to the attention of the Security Council or of the General Assembly any dispute to which it is a party if it accepts in advance, for the purposes of the dispute, the obligations of pacific settlement provided in the present Charter.

3. The proceedings of the General Assembly in respect of matters brought to its attention under this Article will be subject to the provisions of Articles 11 and 12.

Article 36

1. The Security Council may, at any stage of a dispute of the nature referred to in Article 33 or of a situation of like nature, recommend appropriate procedures or methods of adjustment.

2. The Security Council should take into consideration any procedures for the settlement of the dispute which have already been adopted by the parties.

3. In making recommendations under this Article the Security Council should also take into con,ideration that legal disputes should as a general rule be referred by the parties to the International Court of Justice in accordance with the provisions of the Statute of the Court.

0193

Article 37

1. Should the parties to a dispute of the nature referred to in Article 33 fail to settle it by the means indicated in that Article, they shall refer it to the Security Council.

2. If the Security Council deems that the continuance of the dispute is in fact likely to endanger the maintenance of international peace and security, it shall decide whether to take action under Article 36 or to recommend such terms of settlement as it may consider appropriate.

Article 38

Without prejudice to the provisions of Articles 33 to 37, the Security Council may, if all the parties to any dispute so request, make recommendations to the parties with a view to a pacific settlement of the dispute.

CHAPTER VII

ACTION WITH RESPECT TO THREATS TO THE PEACE, BREACHES OF THE PEACE, AND ACTS OF AGGRESSION

Article 39

The Security Council shall determine the existence of any threat to the peace, breach of the peace, or act of aggression and shall make recommendations, or decide what measures shall be taken in accordance with Articles 41 and 42, to maintain or restore international peace and security.

Article 40

In order to prevent an aggravation of the situation, the Security Council may, before making the recommendations or deciding upon the measures provided for in Article 39, call upon the parties concerned to comply with such provisional measures as it deems necessary or desirable. Such provisional measures shall be without prejudice to the rights, claims, or position of the parties concerned. The Security Council shall duly take account of failure to comply with such provisional measures.

Article 41

The Security Council may decide what measures not involving the use of armed force are to be employed to give effect to its decisions, and it may call upon the Members of the United Nations to apply such measures. These may include complete or partial interruption of economic relations and of rail, sea, air, postal, telegraphic, radio, and

0194

other means of communication, and the severance of diplomatic relations.

Article 42

Should the Security Council consider that measures provided for in Article 41 would be inadequate or have proved to be inadequate, it may take such action by air, sea, or land forces as may be necessary to maintain or restore international peace and security. Such action may include demonstrations, blockade, and other operations by air, sea, or land forces of Members of the United Nations.

Article 43

1. All Members of the United Nations, in order to contribute to the maintenance of international peace and security, undertake to make available to the Security Council, on its call and in accordance with a special agreement or agreements, armed forces, assistance, and facilities, including rights of passage, necessary for the purpose of maintaining international peace and security.
2. Such agreement or agreements shall govern the numbers and types of forces, their degree of readiness and general location, and the nature of the facilities and assistance to be provided.
3. The agreement or agreements shall be negotiated as soon as possible on the initiative of the Security Council. They shall be concluded between the Security Council and Members or between the Security Council and groups of Members and shall be subject to ratification by the signatory States in accordance with their respective constitutional processes.

Article 44

When the Security Council has decided to use force it shall, before calling upon a Member not represented on it to provide armed forces in fulfilment of the obligations assumed under Article 43, invite that Member, if the Member so desires, to participate in the decisions of the Security Council concerning the employment of contingents of that Member's armed forces.

Article 45

In order to enable the United Nations to take urgent military measures, Members shall hold immediately available national air-force contingents for combined international enforcement action. The strength and degree of readiness of these contingents and plans for their combined action shall be determined, within the limits laid down in the special agreement or agreements referred to in Article 43, by the Security Council with the assistance of the Military Staff Committee.

0195

Article 46

Plans for the application of armed force shall be made by the Security Council with the assistance of the Military Staff Committee.

Article 47

1. There shall be established a Military Staff Committee to advise and assist the Security Council on all questions relating to the Security Council's military requirements for the maintenance of international peace and security, the employment and command of forces placed at its disposal, the regulation of armaments, and possible disarmament.

2. The Military Staff Committee shall consist of the Chiefs of Staff of the permanent members of the Security Council or their representatives. Any Member of the United Nations not permanently represented on the Committee shall be invited by the Committee to be associated with it when the efficient discharge of the Committee's responsibilities requires the participation of that Member in its work.

3. The Military Staff Committee shall be responsible under the Security Council for the strategic direction of any armed forces placed at the disposal of the Security Council. Questions relating to the command of such forces shall be worked out subsequently.

4. The Military Staff Committee, with the authorization of the Security Council and after consultation with appropriate regional agencies, may establish regional sub-committees.

Article 48

1. The action required to carry out the decisions of the Security Council for the maintenance of international peace and security shall be taken by all the Members of the United Nations or by some of them, as the Security Council may determine.

2. Such decisions shall be carried out by the Members of the United Nations directly and through their action in the appropriate international agencies of which they are members.

Article 49

The Members of the United Nations shall join in affording mutual assistance in carrying out the measures decided upon by the Security Council.

Article 50

If preventive or enforcement measures against any State are taken by the Security Council, any other State, whether a Member of the United Nations or not, which finds itself confronted with special economic problems arising from the carrying out of those measures shall have the right to consult the Security Council with regard to a solution of those problems.

0196

Article 51

Nothing in the present Charter shall impair the inherent right of individual or collective self-defence if an armed attack occurs against a Member of the United Nations, until the Security Council has taken measures necessary to maintain international peace and security. Measures taken by Members in the exercise of this right of self-defence shall be immediately reported to the Security Council and shall not in any way affect the authority and responsibility of the Security Council under the present Charter to take at any time such action as it deems necessary in order to maintain or restore international peace and security.

CHAPTER VIII

REGIONAL ARRANGEMENTS

Article 52

1. Nothing in the present Charter precludes the existence of regional arrangements or agencies for dealing with such matters relating to the maintenance of international peace and security as are appropriate for regional action, provided that such arrangements or agencies and their activities are consistent with the Purposes and Principles of the United Nations.

2. The Members of the United Nations entering into such arrangements or constituting such agencies shall make every effort to achieve pacific settlement of local disputes through such regional arrangements or by such regional agencies before referring them to the Security Council.

3. The Security Council shall encourage the development of pacific settlement of local disputes through such regional arrangements or by such regional agencies either on the initiative of the States concerned or by reference from the Security Council.

4. This Article in no way impairs the application of Articles 34 and 35.

Article 53

1. The Security Council shall, where appropriate, utilize such regional arrangements or agencies for enforcement action under its authority. But no enforcement action shall be taken under regional arrangements or by regional agencies without the authorization of the Security Council, with the exception of measures against any enemy State, as defined in paragraph 2 of this Article, provided for pursuant to Article 107 or in regional arrangements directed against renewal of aggressive policy on the part of any such State, until such time as the Organization may, on request of the

0197

Governments concerned, be charged with the responsibility for preventing further aggression by such a State.

2. The term "enemy State" as used in paragraph 1 of this Article applies to any State which during the Second World War has been an enemy of any signatory of the present Charter.

Article 54

The Security Council shall at all times be kept fully informed of activities undertaken or in contemplation under regional arrangements or by regional agencies for the maintenance of international peace and security.

CHAPTER IX

INTERNATIONAL ECONOMIC AND SOCIAL CO-OPERATION

Article 55

With a view to the creation of conditions of stability and well-being which are necessary for peaceful and friendly relations among nations based on respect for the principle of equal rights and self-determination of peoples, the United Nations shall promote:

(a) higher standards of living, full employment, and conditions of economic and social progress and development;

(b) solutions of international economic, social, health, and related problems; and international cultural and educational co-operation; and

(c) universal respect for, and observance of, human rights and fundamental freedoms for all without distinction as to race, sex, language, or religion.

Article 56

All Members pledge themselves to take joint and separate action in co-operation with the Organization for the achievement of the purposes set forth in Article 55.

Article 57

1. The various specialized agencies, established by intergovernmental agreement and having wide international responsibilities, as defined in their basic instruments, in economic, social, cultural, educational, health,

and related fields, shall be brought into relationship with the United Nations in accordance with the provisions of Article 63.

2. Such agencies thus brought into relationship with the United Nations are hereinafter referred to as "specialized agencies".

Article 58

The Organization shall make recommendations for the co-ordination of the policies and activities of the specialized agencies.

Article 59

The Organization shall, where appropriate, initiate negotiations among the States concerned for the creation of any new specialized agencies required for the accomplishment of the purposes set forth in Article 55.

Article 60

Responsibility for the discharge of the functions of the Organization set forth in this Chapter shall be vested in the General Assembly and, under the authority of the General Assembly, in the Economic and Social Council, which shall have for this purpose the powers set forth in Chapter X.

CHAPTER X

THE ECONOMIC AND SOCIAL COUNCIL

Composition

Article 61

1. The Economic and Social Council shall consist of fifty-four Members of the United Nations elected by the General Assembly.

2. Subject to the provisions of paragraph 3, eighteen members of the Economic and Social Council shall be elected each year for a term of three years. A retiring member shall be eligible for immediate re-election.
3. At the first election after the increase in the membership of the Economic and Social Council from twenty-seven to fifty-four members, in addition to the members elected in place of the nine members whose term of office expires at the end of that year, twenty-seven additional members shall be elected. Of these twenty-seven additional members, the term of office of nine members so elected shall expire at the end of one year, and of nine other members at the end of two years, in accordance with arrangements made by the General Assembly.
4. Each member of the Economic and Social Council shall have one representative.

0199

Functions and Powers

Article 62

1. The Economic and Social Council may make or initiate studies and reports with respect to international economic, social, cultural, educational, health, and related matters and may make recommendations with respect to any such matters to the General Assembly, to the Members of the United Nations, and to the specialized agencies concerned.

2. It may make recommendations for the purpose of promoting respect for, and observance of, human rights and fundamental freedoms for all.

3. It may prepare draft conventions for submission to the General Assembly, with respect to matters falling within its competence.

4. It may call, in accordance with the rules prescribed by the United Nations, international conferences on matters falling within its competence.

Article 63

1. The Economic and Social Council may enter into agreements with any of the agencies referred to in Article 57, defining the terms on which the agency concerned shall be brought into relationship with the United Nations. Such agreements shall be subject to approval by the General Assembly.

2. It may co-ordinate the activities of the specialized agencies through consultation with and recommendations to such agencies and through recommendations to the General Assembly and to the Members of the United Nations.

Article 64

1. The Economic and Social Council may take appropriate steps to obtain regular reports from the specialized agencies. It may make arrangements with the Members of the United Nations and with the specialized agencies to obtain reports on the steps taken to give effect to its own recommendations and to recommendations on matters falling within its competence made by the General Assembly.

2. It may communicate its observations on these reports to the General Assembly.

Article 65

The Economic and Social Council may furnish information to the Security Council and shall assist the Security Council upon its request.

Article 66

1. The Economic and Social Council shall perform such functions as fall within its competence in connexion with the carrying out of the recommendations of the General Assembly.

— 93 —

0200

2. It may, with the approval of the General Assembly, perform services at the request of Members of the United Nations and at the request of specialized agencies.

3. It shall perform such other functions as are specified elsewhere in the present Charter or as may be assigned to it by the General Assembly.

Voting

Article 67

1. Each member of the Economic and Social Council shall have one vote.

2. Decisions of the Economic and Social Council shall be made by a majority of the members present and voting.

Procedure

Article 68

The Economic and Social Council shall set up commissions in economic and social fields and for the promotion of human rights, and such other commissions as may be required for the performance of its functions.

Article 69

The Economic and Social Council shall invite any Member of the United Nations to participate, without vote, in its deliberations on any matter of particular concern to that Member.

Article 70

The Economic and Social Council may make arrangements for representatives of the specialized agencies to participate, without vote, in its deliberations and in those of the commissions established by it, and for its representatives to participate in the deliberations of the specialized agencies.

Article 71

The Economic and Social Council may make suitable arrangements for consultation with non-governmental organizations which are concerned with matters within its competence. Such arrangements may be made with international organizations and, where appropriate, with national organizations after consultation with the Member of the United Nations concerned.

Article 72

1. The Economic and Social Council shall adopt its own rules of procedure, including the method of selecting its President.

0201

2. The Economic and Social Council shall meet as required in accordance with its rules, which shall include provision for the convening of meetings on the request of a majority of its members.

CHAPTER XI

DECLARATION REGARDING NON-SELF-GOVERNING TERRITORIES

Article 73

Members of the United Nations which have or assume responsibilities for the administration of territories whose peoples have not yet attained a full measure of self-government recognize the principle that the interests of the inhabitants of these territories are paramount, and accept as a sacred trust the obligation to promote to the utmost, within the system of international peace and security established by the present Charter, the well-being of the inhabitants of these territories, and, to this end:

(a) to ensure, with due respect for the culture of the peoples concerned, their political, economic, social, and educational advancement, their just treatment, and their protection against abuses;

(b) to develop self-government, to take due account of the political aspirations of the peoples, and to assist them in the progressive development of their free political institutions, according to the particular circumstances of each territory and its peoples and their varying stages of advancement;

(c) to further international peace and security;

(d) to promote constructive measures of development, to encourage research, and to co-operate with one another and, when and where appropriate, with specialized international bodies with a view to the practical achievement of the social, economic, and scientific purposes set forth in this Article; and

(e) to transmit regularly to the Secretary-General for information purposes, subject to such limitation as security and constitutional considerations may require, statistical and other information of a technical nature relating to economic, social, and educational conditions in the territories for which they are respectively responsible other than those territories to which Chapters XII and XIII apply.

Article 74

Members of the United Nations also agree that their policy in respect of the territories to which this Chapter applies, no less than in respect of their metropolitan areas, must be based on the general principle of good-neighbourliness, due account being taken of the interests and well-being of the rest of the world, in social, economic, and commercial matters.

— 95 —

0202

CHAPTER XII

INTERNATIONAL TRUSTEESHIP SYSTEM

Article 75

The United Nations shall establish under its authority an international trusteeship system for the administration and supervision of such territories as may be placed thereunder by subsequent individual agreements. These territories are hereinafter referred to as "trust territories".

Article 76

The basic objectives of the trusteeship system, in accordance with the Purposes of the United Nations laid down in Article 1 of the present Charter, shall be:

(a) to further international peace and security;

(b) to promote the political, economic, social, and educational advancement of the inhabitants of the trust territories, and their progressive development towards self-government or independence as may be appropriate to the particular circumstances of each territory and its peoples and the freely expressed wishes of the peoples concerned, and as may be provided by the terms of each trusteeship agreement;

(c) to encourage respect for human rights and for fundamental freedoms for all without distinction as to race, sex, language, or religion, and to encourage recognition of the interdependence of the peoples of the world; and

(d) to ensure equal treatment in social, economic, and commercial matters for all Members of the United Nations and their nationals, and also equal treatment for the latter in the administration of justice, without prejudice to the attainment of the foregoing objectives and subject to the provisions of Article 80.

Article 77

1. The trusteeship system shall apply to such territories in the following categories as may be placed thereunder by means of trusteeship agreements:

(a) territories now held under mandate;

(b) territories which may be detached from enemy States as a result of the Second World War; and

(c) territories voluntarily placed under the system by States responsible for their administration.

2. It will be a matter for subsequent agreement as to which territories in the foregoing categories will be brought under the trusteeship system and upon what terms.

0203

Article 78

The trusteeship system shall not apply to territories which have become Members of the United Nations, relationship among which shall be based on respect for the principle of sovereign equality.

Article 79

The terms of trusteeship for each territory to be placed under the trusteeship system, including any alteration or amendment, shall be agreed upon by the States directly concerned, including the mandatory power in the case of territories held under mandate by a Member of the United Nations, and shall be approved as provided for in Articles 83 and 85.

Article 80

1. Except as may be agreed upon in individual trusteeship agreements, made under Articles 77, 79, and 81, placing each territory under the trusteeship system, and until such agreements have been concluded, nothing in this Chapter shall be construed in or of itself to alter in any manner the rights whatsoever of any States or any peoples or the terms of existing international instruments to which Members of the United Nations may respectively be parties.

2. Paragraph 1 of this Article shall not be interpreted as giving grounds for delay or postponement of the negotiation and conclusion of agreements for placing mandated and other territories under the trusteeship system as provided for in Article 77.

Article 81

The trusteeship agreement shall in each case include the terms under which the trust territory will be administered and designate the authority which will exercise the administration of the trust territory. Such authority, hereinafter called the "administering authority", may be one or more States or the Organization itself.

Article 82

There may be designated, in any trusteeship agreement, a strategic area or areas which may include part or all of the trust territory to which the agreement applies, without prejudice to any special agreement or agreements made under Article 43.

Article 83

1. All functions of the United Nations relating to strategic areas, including the approval of the terms of the trusteeship agreements and of their alteration or amendment, shall be exercised by the Security Council.

0204

2. The basic objectives set forth in Article 76 shall be applicable to the people of each strategic area.

3. The Security Council shall, subject to the provisions of the trustee-ship agreements and without prejudice to security considerations, avail itself of the assistance of the Trusteeship Council to perform those func-tions of the United Nations under the trusteeship system relating to political, economic, social, and educational matters in the strategic areas.

Article 84

It shall be the duty of the administering authority to ensure that the trust territory shall play its part in the maintenance of international peace and security. To this end the administering authority may make use of volun-teer forces, facilities, and assistance from the trust territory in carrying out the obligations towards the Security Council undertaken in this regard by the administering authority, as well as for local defence and the main-tenance of law and order within the trust territory.

Article 85

1. The functions of the United Nations with regard to trusteeship agreements for all areas not designated as strategic, including the approval of the terms of the trusteeship agreements and of their alteration or amend-ment, shall be exercised by the General Assembly.

2. The Trusteeship Council, operating under the authority of the General Assembly, shall assist the General Assembly in carrying out these functions.

CHAPTER XIII

THE TRUSTEESHIP COUNCIL

Composition

Article 86

1. The Trusteeship Council shall consist of the following Members of the United Nations:

(a) those Members administering trust territories;
(b) such of those Members mentioned by name in Article 23 as are not administering trust territories; and
(c) as many other Members elected for three-year terms by the General Assembly as may be necessary to ensure that the total number of members of the Trusteeship Council is equally divided between those Members of the United Nations which administer trust territories and those which do not.

0205

2. Each member of the Trusteeship Council shall designate one specially qualified person to represent it therein.

Functions and Powers

Article 87

The General Assembly and, under its authority, the Trusteeship Council, in carrying out their functions, may:

(a) consider reports submitted by the administering authority;

(b) accept petitions and examine them in consultation with the administering authority;

(c) provide for periodic visits to the respective trust territories at times agreed upon with the administering authority; and

(d) take these and other actions in conformity with the terms of the trusteeship agreements.

Article 88

The Trusteeship Council shall formulate a questionnaire on the political, economic, social, and educational advancement of the inhabitants of each trust territory, and the administering authority for each trust territory within the competence of the General Assembly shall make an annual report to the General Assembly upon the basis of such questionnaire.

Voting

Article 89

1. Each member of the Trusteeship Council shall have one vote.
2. Decisions of the Trusteeship Council shall be made by a majority of the members present and voting.

Procedure

Article 90

1. The Trusteeship Council shall adopt its own rules of procedure, including the method of selecting its President.
2. The Trusteeship Council shall meet as required in accordance with its rules, which shall include provision for the convening of meetings on the request of a majority of its members.

Article 91

The Trusteeship Council shall, when appropriate, avail itself of the assistance of the Economic and Social Council and of the specialized agencies in regard to matters with which they are respectively concerned.

– 99 –

0206

CHAPTER XIV

THE INTERNATIONAL COURT OF JUSTICE

Article 92

The International Court of Justice shall be the principal judicial organ of the United Nations. It shall function in accordance with the annexed Statute, which is based upon the Statute of the Permanent Court of International Justice and forms an integral part of the present Charter.

Article 93

1. All Members of the United Nations are *ipso facto* parties to the Statute of the International Court of Justice.

2. A State which is not a Member of the United Nations may become a party to the Statute of the International Court of Justice on conditions to be determined in each case by the General Assembly upon the recommendation of the Security Council.

Article 94

1. Each Member of the United Nations undertakes to comply with the decision of the International Court of Justice in any case to which it is a party.

2. If any party to a case fails to perform the obligations incumbent upon it under a judgment rendered by the Court, the other party may have recourse to the Security Council, which may, if it deems necessary, make recommendations or decide upon measures to be taken to give effect to the judgment.

Article 95

Nothing in the present Charter shall prevent Members of the United Nations from entrusting the solution of their differences to other tribunals by virtue of agreements already in existence or which may be concluded in the future.

Article 96

1. The General Assembly or the Security Council may request the International Court of Justice to give an advisory opinion on any legal question.

2. Other organs of the United Nations and specialized agencies, which may at any time be so authorized by the General Assembly, may also request advisory opinions of the Court on legal questions arising within the scope of their activities.

0207

CHAPTER XV

THE SECRETARIAT

Article 97

The Secretariat shall comprise a Secretary-General and such staff as the Organization may require. The Secretary-General shall be appointed by the General Assembly upon the recommendation of the Security Council. He shall be the chief administrative officer of the Organization.

Article 98

The Secretary-General shall act in that capacity in all meetings of the General Assembly, of the Security Council, of the Economic and Social Council, and of the Trusteeship Council, and shall perform such other functions as are entrusted to him by these organs. The Secretary-General shall make an annual report to the General Assembly on the work of the Organization.

Article 99

The Secretary-General may bring to the attention of the Security Council any matter which in his opinion may threaten the maintenance of international peace and security.

Article 100

1. In the performance of their duties the Secretary-General and the staff shall not seek or receive instructions from any government or from any other authority external to the Organization. They shall refrain from any action which might reflect on their position as international officials responsible only to the Organization.

2. Each Member of the United Nations undertakes to respect the exclusively international character of the responsibilities of the Secretary-General and the staff and not to seek to influence them in the discharge of their responsibilities.

Article 101

1. The staff shall be appointed by the Secretary-General under regulations established by the General Assembly.

2. Appropriate staffs shall be permanently assigned to the Economic and Social Council, the Trusteeship Council, and, as required, to other organs of the United Nations. These staffs shall form a part of the Secretariat.

3. The paramount consideration in the employment of the staff and in the determination of the conditions of service shall be the necessity of securing the highest standards of efficiency, competence, and integrity. Due regard shall be paid to the importance of recruiting the staff on as wide a geographical basis as possible.

– 101 –

0208

Chapter XVI

MISCELLANEOUS PROVISIONS

Article 102

1. Every treaty and every international agreement entered into by any Member of the United Nations after the present Charter comes into force shall as soon as possible be registered with the Secretariat and published by it.

2. No party to any such treaty or international agreement which has not been registered in accordance with the provisions of paragraph 1 of this Article may invoke that treaty or agreement before any organ of the United Nations.

Article 103

In the event of a conflict between the obligations of the Members of the United Nations under the present Charter and their obligations under any other international agreement, their obligations under the present Charter shall prevail.

Article 104

The Organization shall enjoy in the territory of each of its Members such legal capacity as may be necessary for the exercise of its functions and the fulfilment of its purposes.

Article 105

1. The Organization shall enjoy in the territory of each of its Members such privileges and ·mmunities as are necessary for the fulfilment of its purposes.

2. Representatives of the Members of the United Nations and officials of the Organization shall similarly enjoy such privileges and immunities as are necessary for the independent exercise of their functions in connexion with the Organization.

3. The General Assembly may make recommendations with a view to determining the details of the application of paragraphs 1 and 2 of this Article or may propose conventions to the Members of the United Nations for this purpose.

Chapter XVII

TRANSITIONAL SECURITY ARRANGEMENTS

Article 106

Pending the coming into force of such special agreements referred to in Article 43 as in the opinion of the Security Council enable it to begin the

0203

exercise of its responsibilities under Article 42, the parties to the Four-Nation Declaration, signed at Moscow, 30 October 1943, and France, shall, in accordance with the provisions of paragraph 5 of that Declaration, consult with one another and as occasion requires with other Members of the United Nations with a view to such joint action on behalf of the Organization as may be necessary for the purpose of maintaining international peace and security.

Article 107

Nothing in the present Charter shall invalidate or preclude action, in relation to any State which during the Second World War has been an enemy of any signatory to the present Charter, taken or authorized as a result of that war by the Governments having responsibility for such action.

CHAPTER XVIII

AMENDMENTS

Article 108

Amendments to the present Charter shall come into force for all Members of the United Nations when they have been adopted by a vote of two-thirds of the members of the General Assembly and ratified in accordance with their respective constitutional processes by two-thirds of the Members of the United Nations, including all the permanent members of the Security Council.

Article 109

1. A General Conference of the Members of the United Nations for the purpose of reviewing the present Charter may be held at a date and place to be fixed by a two-thirds vote of the members of the General Assembly and by a vote of any nine members of the Security Council. Each Member of the United Nations shall have one vote in the conference.

2. Any alteration of the present Charter recommended by a two-thirds vote of the conference shall take effect when ratified in accordance with their respective constitutional processes by two-thirds of the Members of the United Nations including all the permanent members of the Security Council.
3. If such a conference has not been held before the tenth annual session of the General Assembly following the coming into force of the present Charter, the proposal to call such a conference shall be placed on the agenda of that session of the General Assembly, and the conference shall be held if so decided by a majority vote of the members of the General Assembly and by a vote of any seven members of the Security Council.

CHAPTER XIX

RATIFICATION AND SIGNATURE

Article 110

1. The present Charter shall be ratified by the signatory States in accordance with their respective constitutional processes.

2. The ratifications shall be deposited with the Government of the United States of America, which shall notify all the signatory States of each deposit as well as the Secretary-General of the Organization when he has been appointed.

3. The present Charter shall come into force upon the deposit of ratifications by the Republic of China, France, the Union of Soviet Socialist Republics, the United Kingdom of Great Britain and Northern Ireland, and the United States of America, and by a majority of the other signatory States. A protocol of the ratifications deposited shall thereupon be drawn up by the Government of the United States of America which shall communicate copies thereof to all the signatory States.

4. The States signatory to the present Charter which ratify it after it has come into force will become original Members of the United Nations on the date of the deposit of their respective ratifications.

Article 111

The present Charter, of which the Chinese, French, Russian, English, and Spanish texts are equally authentic, shall remain deposited in the archives of the Government of the United States of America. Duly certified copies thereof shall be transmitted by that Government to the Governments of the other signatory States.

IN FAITH WHEREOF the representatives of the Governments of the United Nations have signed the present Charter.

DONE at the city of San Francisco the twenty-sixth day of June, one thousand nine hundred and forty-five.

0211

STATUTE OF THE INTERNATIONAL COURT OF JUSTICE

0212

STATUTE OF THE INTERNATIONAL
COURT OF JUSTICE

Article 1

The International Court of Justice established by the Charter of the United Nations as the principal judicial organ of the United Nations shall be constituted and shall function in accordance with the provisions of the present Statute.

CHAPTER I

ORGANIZATION OF THE COURT

Article 2

The Court shall be composed of a body of independent judges, elected regardless of their nationality from among persons of high moral character, who possess the qualifications required in their respective countries for appointment to the highest judicial offices, or are jurisconsults of recognized competence in international law.

Article 3

1. The Court shall consist of fifteen members, no two of whom may be nationals of the same State.

2. A person who for the purposes of membership in the Court could be regarded as a national of more than one State shall be deemed to be a national of the one in which he ordinarily exercises civil and political rights.

Article 4

1. The Members of the Court shall be elected by the General Assembly and by the Security Council from a list of persons nominated by the national groups in the Permanent Court of Arbitration, in accordance with the following provisions.

2. In the case of Members of the United Nations not represented in the Permanent Court of Arbitration, candidates shall be nominated by national groups appointed for this purpose by their governments under the

same conditions as those prescribed for members of the Permanent Court of Arbitration by Article 44 of the Convention of The Hague of 1907 for the pacific settlement of international disputes.

3. The conditions under which a State which is a party to the present Statute but is not a Member of the United Nations may participate in electing the Members of the Court shall, in the absence of a special agreement, be laid down by the General Assembly upon recommendation of the Security Council.

Article 5

1. At least three months before the date of the election, the Secretary-General of the United Nations shall address a written request to the members of the Permanent Court of Arbitration belonging to the States which are parties to the present Statute, and to the members of the national groups appointed under Article 4, paragraph 2, inviting them to undertake, within a given time, by national groups, the nomination of persons in a position to accept the duties of a Member of the Court.

2. No group may nominate more than four persons, not more than two of whom shall be of their own nationality. In no case may the number of candidates nominated by a group be more than double the number of seats to be filled.

Article 6

Before making these nominations, each national group is recommended to consult its highest court of justice, its legal faculties and schools of law, and its national academies and national sections of international academies devoted to the study of law.

Article 7

1. The Secretary-General shall prepare a list in alphabetical order of all the persons thus nominated. Save as provided in Article 12, paragraph 2, these shall be the only persons eligible.

2. The Secretary-General shall submit this list to the General Assembly and to the Security Council.

Article 8

The General Assembly and the Security Council shall proceed independently of one another to elect the Members of the Court.

Article 9

At every election, the electors shall bear in mind not only that the persons to be elected should individually possess the qualifications re-

0214

quired, but also that in the body as a whole the representation of the main forms of civilization and of the principal legal systems of the world should be assured.

Article 10

1. Those candidates who obtain an absolute majority of votes in the General Assembly and in the Security Council shall be considered as elected.

2. Any vote of the Security Council, whether for the election of judges or for the appointment of members of the conference envisaged in Article 12, shall be taken without any distinction between permanent and non-permanent members of the Security Council.

3. In the event of more than one national of the same State obtaining an absolute majority of the votes both of the General Assembly and of the Security Council, the eldest of these only shall be considered as elected.

Article 11

If, after the first meeting held for the purpose of the election, one or more seats remain to be filled, a second and, if necessary, a third meeting shall take place.

Article 12

1. If, after the third meeting, one or more seats still remain unfilled, a joint conference consisting of six members, three appointed by the General Assembly and three by the Security Council, may be formed at any time at the request of either the General Assembly or the Security Council, for the purpose of choosing by the vote of an absolute majority one name for each seat still vacant, to submit to the General Assembly and the Security Council for their respective acceptance.

2. If the joint conference is unanimously agreed upon any person who fulfils the required conditions, he may be included in its list, even though he was not included in the list of nominations referred to in Article 7.

3. If the joint conference is satisfied that it will not be successful in procuring an election, those Members of the Court who have already been elected shall, within a period to be fixed by the Security Council, proceed to fill the vacant seats by selection from among those candidates who have obtained votes either in the General Assembly or in the Security Council.

4. In the event of an equality of votes among the judges, the eldest judge shall have a casting vote.

Article 13

1. The Members of the Court shall be elected for nine years and may be re-elected; provided, however, that of the judges elected at the first

election, the terms of five judges shall expire at the end of three years and the terms of five more judges shall expire at the end of six years.

2. The judges whose terms are to expire at the end of the above-mentioned initial periods of three and six years shall be chosen by lot to be drawn by the Secretary-General immediately after the first election has been completed.

3. The Members of the Court shall continue to discharge their duties until their places have been filled. Though replaced, they shall finish any cases which they may have begun.

4. In the case of the resignation of a Member of the Court, the resignation shall be addressed to the President of the Court for transmission to the Secretary-General. This last notification makes the place vacant.

Article 14

Vacancies shall be filled by the same method as that laid down for the first election, subject to the following provision: the Secretary-General shall, within one month of the occurrence of the vacancy, proceed to issue the invitations provided for in Article 5, and the date of the election shall be fixed by the Security Council.

Article 15

A Member of the Court elected to replace a member whose term of office has not expired shall hold office for the remainder of his predecessor's term.

Article 16

1. No Member of the Court may exercise any political or administrative function, or engage in any other occupation of a professional nature.

2. Any doubt on this point shall be settled by the decision of the Court.

Article 17

1. No Member of the Court may act as agent, counsel, or advocate in any case.

2. No Member may participate in the decision of any case in which he has previously taken part as agent, counsel, or advocate for one of the parties, or as a member of a national or international court, or of a commission of enquiry, or in any other capacity.

3. Any doubt on this point shall be settled by the decision of the Court.

Article 18

1. No Member of the Court can be dismissed unless, in the unanimous opinion of the other Members, he has ceased to fulfil the required conditions.

0216

2. Formal notification thereof shall be made to the Secretary-General by the Registrar.

3. This notification makes the place vacant.

Article 19

The Members of the Court, when engaged on the business of the Court, shall enjoy diplomatic privileges and immunities.

Article 20

Every Member of the Court shall, before taking up his duties, make a solemn declaration in open court that he will exercise his powers impartially and conscientiously.

Article 21

1. The Court shall elect its President and Vice-President for three years; they may be re-elected.

2. The Court shall appoint its Registrar and may provide for the appointment of such other officers as may be necessary.

Article 22

1. The seat of the Court shall be established at The Hague. This, however, shall not prevent the Court from sitting and exercising its functions elsewhere whenever the Court considers it desirable.

2. The President and the Registrar shall reside at the seat of the Court.

Article 23

1. The Court shall remain permanently in session, except during the judicial vacations, the dates and duration of which shall be fixed by the Court.

2. Members of the Court are entitled to periodic leave, the dates and duration of which shall be fixed by the Court, having in mind the distance between The Hague and the home of each judge.

3. Members of the Court shall be bound, unless they are on leave or prevented from attending by illness or other serious reasons duly explained to the President, to hold themselves permanently at the disposal of the Court.

Article 24

1. If, for some special reason, a Member of the Court considers that he should not take part in the decision of a particular case, he shall so inform the President.

2. If the President considers that for some special reason one of the Members of the Court should not sit in a particular case, he shall give him notice accordingly.

- 111 -

0217

3. If in any such case the Member of the Court and the President disagree, the matter shall be settled by the decision of the Court.

Article 25

1. The full Court shall sit except when it is expressly provided otherwise in the present Statute.

2. Subject to the condition that the number of judges available to constitute the Court is not thereby reduced below eleven, the Rules of the Court may provide for allowing one or more judges, according to circumstances and in rotation, to be dispensed from sitting.

3. A quorum of nine judges shall suffice to constitute the Court.

Article 26

1. The Court may from time to time form one or more chambers, composed of three or more judges as the Court may determine, for dealing with particular categories of cases; for example, labour cases and cases relating to transit and communications.

2. The Court may at any time form a chamber for dealing with a particular case. The number of judges to constitute such a chamber shall be determined by the Court with the approval of the parties.

3. Cases shall be heard and determined by the chambers provided for in this article if the parties so request.

Article 27

A judgment given by any of the chambers provided for in Articles 26 and 29 shall be considered as rendered by the Court.

Article 28

The chambers provided for in Articles 26 and 29 may, with the consent of the parties, sit and exercise their functions elsewhere than at The Hague.

Article 29

With a view to the speedy dispatch of business, the Court shall form annually a chamber composed of five judges which, at the request of the parties, may hear and determine cases by summary procedure. In addition, two judges shall be selected for the purpose of replacing judges who find it impossible to sit.

Article 30

1. The Court shall frame rules for carrying out its functions. In particular, it shall lay down rules of procedure.

2. The Rules of the Court may provide for assessors to sit with the Court or with any of its chambers, without the right to vote.

0218

Article 31

1. Judges of the nationality of each of the parties shall retain their right to sit in the case before the Court.

2. If the Court includes upon the Bench a judge of the nationality of one of the parties, any other party may choose a person to sit as judge. Such person shall be chosen preferably from among those persons who have been nominated as candidates as provided in Articles 4 and 5.

3. If the Court includes upon the Bench no judge of the nationality of the parties, each of these parties may proceed to choose a judge as provided in paragraph 2 of this Article.

4. The provisions of this Article shall apply to the case of Articles 26 and 29. In such cases, the President shall request one or, if necessary, two of the Members of the Court forming the chamber to give place to the Members of the Court of the nationality of the parties concerned, and, failing such, or if they are unable to be present, to the judges specially chosen by the parties.

5. Should there be several parties in the same interest, they shall, for the purpose of the preceding provisions, be reckoned as one party only. Any doubt upon this point shall be settled by the decision of the Court.

6. Judges chosen as laid down in paragraphs 2, 3, and 4 of this Article shall fulfil the conditions required by Articles 2, 17 (paragraph 2), 20, and 24 of the present Statute. They shall take part in the decision on terms of complete equality with their colleagues.

Article 32

1. Each member of the Court shall receive an annual salary.

2. The President shall receive a special annual allowance.

3. The Vice-President shall receive a special allowance for every day on which he acts as President.

4. The judges chosen under Article 31, other than Members of the Court, shall receive compensation for each day on which they exercise their functions.

5. These salaries, allowances, and compensation shall be fixed by the General Assembly. They may not be decreased during the term of office.

6. The salary of the Registrar shall be fixed by the General Assembly on the proposal of the Court.

7. Regulations made by the General Assembly shall fix the conditions under which retirement pensions may be given to Members of the Court and to the Registrar, and the conditions under which Members of the Court and the Registrar shall have their travelling expenses refunded.

8. The above salaries, allowances, and compensation shall be free of all taxation.

Article 33

The expenses of the Court shall be borne by the United Nations in such a manner as shall be decided by the General Assembly.

– 113 –

0219

CHAPTER II

COMPETENCE OF THE COURT

Article 34

1. Only States may be parties in cases before the Court.
2. The Court, subject to and in conformity with its Rules, may request of public international organizations information relevant to cases before it, and shall receive such information presented by such organizations on their own initiative.

3. Whenever the construction of the constituent instrument of a public international organization or of an international convention adopted thereunder is in question in a case before the Court, the Registrar shall so notify the public international organization concerned and shall communicate to it copies of all the written proceedings.

Article 35

1. The Court shall be open to the States parties to the present Statute.
2. The conditions under which the Court shall be open to other States shall, subject to the special provisions contained in treaties in force, be laid down by the Security Council, but in no case shall such conditions place the parties in a position of inequality before the Court.
3. When a State which is not a Member of the United Nations is a party to a case, the Court shall fix the amount which that party is to contribute towards the expenses of the Court. This provision shall not apply if such State is bearing a share of the expenses of the Court.

Article 36

1. The jurisdiction of the Court comprises all cases which the parties refer to it and all matters specially provided for in the Charter of the United Nations or in treaties and conventions in force.
2. The States parties to the present Statute may at any time declare that they recognize as compulsory *ipso facto* and without special agreement, in relation to any other State accepting the same obligation, the jurisdiction of the Court in all legal disputes concerning:

(a) the interpretation of a treaty;
(b) any question of international law;
(c) the existence of any fact which, if established, would constitute a breach of an international obligation;
(d) the nature or extent of the reparation to be made for the breach of an international obligation.

3. The declarations referred to above may be made unconditionally or on condition of reciprocity on the part of several or certain States, or for a certain time.

0220

4. Such declarations shall be deposited with the Secretary-General of the United Nations, who shall transmit copies thereof to the parties to the Statute and to the Registrar of the Court.

5. Declarations made under Article 36 of the Statute of the Permanent Court of International Justice and which are still in force shall be deemed, as between the parties to the present Statute, to be acceptances of the compulsory jurisdiction of the International Court of Justice for the period which they still have to run and in accordance with their terms.

6. In the event of a dispute as to whether the Court has jurisdiction, the matter shall be settled by the decision of the Court.

Article 37

Whenever a treaty or convention in force provides for reference of a matter to a tribunal to have been instituted by the League of Nations, or to the Permanent Court of International Justice, the matter shall, as between the parties to the present Statute, be referred to the International Court of Justice.

Article 38

1. The Court, whose function is to decide in accordance with international law such disputes as are submitted to it, shall apply:

(a) international conventions, whether general or particular, establishing rules expressly recognized by the contesting States;
(b) international custom, as evidence of a general practice accepted as law;

(c) the general principles of law recognized by civilized nations;
(d) subject to the provisions of Article 59, judicial decisions and the teachings of the most highly qualified publicists of the various nations, as subsidiary means for the determination of rules of law.

2. This provision shall not prejudice the power of the Court to decide a case *ex aequo et bono*, if the parties agree thereto.

CHAPTER III

PROCEDURE

Article 39

1. The official languages of the Court shall be French and English. If the parties agree that the case shall be conducted in French, the judgment shall be delivered in French. If the parties agree that the case shall be conducted in English, the judgment shall be delivered in English.

2. In the absence of an agreement as to which language shall be employed, each party may, in the pleadings, use the language which it

– 115 –

0221

남북한 유엔가입, 1991.9.17. 전41권 (V.20 한국의 유엔가입 국내절차 진행 I, 1990.11월-91.6.15) 227

prefers; the decision of the Court shall be given in French and English. In this case the Court shall at the same time determine which of the two texts shall be considered as authoritative.

3. The Court shall, at the request of any party, authorize a language other than French or English to be used by that party.

Article 40

1. Cases are brought before the Court, as the case may be, either by the notification of the special agreement or by a written application addressed to the Registrar. In either case the subject of the dispute and the parties shall be indicated.

2. The Registrar shall forthwith communicate the application to all concerned.

3. He shall also notify the Members of the United Nations through the Secretary-General, and also any other States entitled to appear before the Court.

Article 41

1. The Court shall have the power to indicate, if it considers that circumstances so require, any provisional measures which ought to be taken to preserve the respective rights of either party.

2. Pending the final decision, notice of the measures suggested shall forthwith be given to the parties and to the Security Council.

Article 42

1. The parties shall be represented by agents.

2. They may have the assistance of counsel or advocates before the Court.

3. The agents, counsel, and advocates of parties before the Court shall enjoy the privileges and immunities necessary to the independent exercise of their duties.

Article 43

1. The procedure shall consist of two parts: written and oral.

2. The written proceedings shall consist of the communication to the Court and to the parties of memorials, counter-memorials and, if necessary, replies; also all papers and documents in support.

3. These communications shall be made through the Registrar, in the order and within the time fixed by the Court.

4. A certified copy of every document produced by one party shall be communicated to the other party.

5. The oral proceedings shall consist of the hearing by the Court of witnesses, experts, agents, counsel, and advocates.

Article 44

1. For the service of all notices upon persons other than the agents, counsel, and advocates, the Court shall apply direct to the government of the State upon whose territory the notice has to be served.

0222

2. The same provision shall apply whenever steps are to be taken to procure evidence on the spot.

Article 45

The hearing shall be under the control of the President, or, if he is unable to preside, of the Vice-President; if neither is able to preside, the senior judge present shall preside.

Article 46

The hearing in Court shall be public, unless the Court shall decide otherwise, or unless the parties demand that the public be not admitted.

Article 47

1. Minutes shall be made at each hearing and signed by the Registrar and the President.
2. These minutes alone shall be authentic.

Article 48

The Court shall make orders for the conduct of the case, shall decide the form and time in which each party must conclude its arguments, and make all arrangements connected with the taking of evidence.

Article 49

The Court may, even before the hearing begins, call upon the agents to produce any document or to supply any explanations. Formal note shall be taken of any refusal.

Article 50

The Court may, at any time, entrust any individual, body, bureau, commission, or other organization that it may select, with the task of carrying out an enquiry or giving an expert opinion.

Article 51

During the hearing any relevant questions are to be put to the witnesses and experts under the conditions laid down by the Court in the rules of procedure referred to in Article 30.

Article 52

After the Court has received the proofs and evidence within the time specified for the purpose, it may refuse to accept any further oral or written evidence that one party may desire to present unless the other side consents.

Article 53

1. Whenever one of the parties does not appear before the Court, or fails to defend its case, the other party may call upon the Court to decide in favour of its claim.

2. The Court must, before doing so, satisfy itself, not only that it has jurisdiction in accordance with Articles 36 and 37, but also that the claim is well founded in fact and law.

Article 54

1. When, subject to the control of the Court, the agents, counsel, and advocates have completed their presentation of the case, the President shall declare the hearing closed.

2. The Court shall withdraw to consider the judgment.

3. The deliberations of the Court shall take place in private and remain secret.

Article 55

1. All questions shall be decided by a majority of the judges present.

2. In the event of an equality of votes, the President or the judge who acts in his place shall have a casting vote.

Article 56

1. The judgment shall state the reasons on which it is based.

2. It shall contain the names of the judges who have taken part in the decision.

Article 57

If the judgment does not represent in whole or in part the unanimous opinion of the judges, any judge shall be entitled to deliver a separate opinion.

Article 58

The judgment shall be signed by the President and by the Registrar. It shall be read in open court, due notice having been given to the agents.

Article 59

The decision of the Court has no binding force except between the parties and in respect of that particular case.

Article 60

The judgment is final and without appeal. In the event of dispute as to the meaning or scope of the judgment, the Court shall construe it upon the request of any party.

0224

Article 61

1. An application for revision of a judgment may be made only when it is based upon the discovery of some fact of such a nature as to be a decisive factor, which fact was, when the judgment was given, unknown to the Court and also to the party claiming revision, always provided that such ignorance was not due to negligence.

2. The proceedings for revision shall be opened by a judgment of the Court expressly recording the existence of the new fact, recognizing that it has such a character as to lay the case open to revision, and declaring the application admissible on this ground.

3. The Court may require previous compliance with the terms of the judgment before it admits proceedings in revision.

4. The application for revision must be made at latest within six months of the discovery of the new fact.

5. No application for revision may be made after the lapse of ten years from the date of the judgment.

Article 62

1. Should a State consider that it has an interest of a legal nature which may be affected by the decision in the case, it may submit a request to the Court to be permitted to intervene.

2. It shall be for the Court to decide upon this request.

Article 63

1. Whenever the construction of a convention to which States other than those concerned in the case are parties is in question, the Registrar shall notify all such States forthwith.

2. Every State so notified has the right to intervene in the proceedings; but if it uses this right, the construction given by the judgment will be equally binding upon it.

Article 64

Unless otherwise decided by the Court, each party shall bear its own costs.

CHAPTER IV

ADVISORY OPINIONS

Article 65

1. The Court may give an advisory opinion on any legal question at the request of whatever body may be authorized by or in accordance with the Charter of the United Nations to make such a request.

2. Questions upon which the advisory opinion of the Court is asked shall be laid before the Court by means of a written request containing an exact statement of the question upon which an opinion is required, and accompanied by all documents likely to throw light upon the question.

Article 66

1. The Registrar shall forthwith give notice of the request for an advisory opinion to all States entitled to appear before the Court.

2. The Registrar shall also, by means of a special and direct communication, notify any State entitled to appear before the Court or international organization considered by the Court, or, should it not be sitting, by the President, as likely to be able to furnish information on the question, that the Court will be prepared to receive, within a time-limit to be fixed by the President, written statements, or to hear, at a public sitting to be held for the purpose, oral statements relating to the question.

3. Should any such State entitled to appear before the Court have failed to receive the special communication referred to in paragraph 2 of this Article, such State may express a desire to submit a written statement or to be heard; and the Court will decide.

4. States and organizations having presented written or oral statements or both shall be permitted to comment on the statements made by other States or organizations in the form, to the extent, and within the time-limits which the Court, or, should it not be sitting, the President, shall decide in each particular case. Accordingly, the Registrar shall in due time communicate any such written statements to States and organizations having submitted similar statements.

Article 67

The Court shall deliver its advisory opinions in open court, notice having been given to the Secretary-General and to the representatives of Members of the United Nations, of other States and of international organizations immediately concerned.

Article 68

In the exercise of its advisory functions the Court shall further be guided by the provisions of the present Statute which apply in contentious cases to the extent to which it recognizes them to be applicable.

CHAPTER V

AMENDMENT

Article 69

Amendments to the present Statute shall be effected by the same procedure as is provided by the Charter of the United Nations for amendments to that Charter, subject however to any provisions which the

0226

General Assembly upon recommendation of the Security Council may adopt concerning the participation of States which are parties to the present Statute but are not Members of the United Nations.

Article 70

The Court shall have power to propose such amendments to the present Statute as it may deem necessary, through written communications to the Secretary-General, for consideration in conformity with the provisions of Article 69.

0227

체 육 청 소 년 부

법무 20411-3712   720-2134   1991. 6. 7

수신   외무부장관

제목   국제연합헌장 수락

　　1. 조약 20411-25113('91. 5. 31)호와 관련입니다.

　　2. 국제연합헌장 수락에 관한 우리부의 의견이 없음을 회시

합니다. 끝.

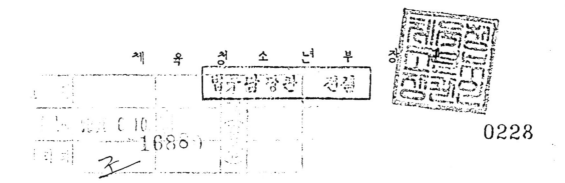

0228

통 일 원

일정 02220 - 16♦   (720 - 2147)   1991. 6. 7.

수신 외무부장관

참조 국제기구조약국장

제목 국제연합헌장 검토 회신

1. 조약 20411 - 25113 ('91.5.31) 관련임.

2. 금년중 우리나라의 국제연합가입 방침에 따라 우리원에서 국제
연합헌장 수락에 따른 통일정책 및 국내법적 문제점을 검토한 결과 문제
점이 없음을 통보하오니, 업무에 참고하시기 바랍니다.   끝.

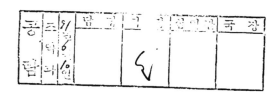

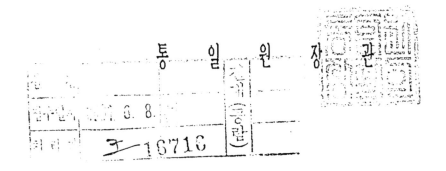

통 일 원 장 관

0229

國際聯合憲章 受諾

1991. 6.

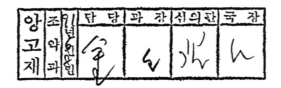

國 際 機 構 條 約 局

0230

(議案 第 384號입니다)

　　우리나라의 國際聯合加入 推進에 따라 그 加入要件중의 하나인 國際聯合
憲章上 規定된 義務를 受諾하기 위하여 이 案件을 提出하였습니다.

　　우리나라는 國際聯合에 加入함으로써 國際社會의 責任있는 成員으로서의
正當한 役割과 義務를 다하고자 하며 國際聯合의 目的과 原則을 尊重하는
가운데 모든 分野에서의 交流와 協力關係를 增進시키고 이를 토대로 韓半島를
포함한 東北亞地域과 나아가 世界의 平和와 繁榮에 이바지하고자 합니다.

　　憲章의 受諾節次는 憲章 및 安全保障理事會 議事規則上 加入申請書
提出과 同時에 憲章受諾宣言書를 寄託하도록 되어있으며, 憲章受諾이라 함은
憲章뿐만 아니라 同 憲章의 不可分의 一部를 構成하는 國際司法裁判所規程의
受諾도 아울러 意味합니다.

　　國際聯合 憲章은 前文 및 本文 111個條로, 그리고 國際司法裁判所 規程은
本文 70個條로 各各 構成되어 있으며 그 주요內容을 말씀드리면,

　　첫째, 國際聯合은 國際平和와 安全의 維持 및 各國間의 國際的 協力을
그 주요目的으로 하고 있습니다.

0231

둘째, 國際聯合은 그 주요機關으로 總會, 安全保障理事會, 經濟社會 理事會, 信託統治理事會, 國際司法裁判所 및 事務局을 設置하고 있습니다.

셋째, 國際平和와 安全을 維持하기 위하여 國際的 紛爭의 平和的 解決 原則 및 節次를 規定하고 있으며, 平和에 대한 威脅, 破壞 및 侵略行爲등이 發生한 경우 이를 防止 또는 鎭壓하기 위한 措置를 취하도록 하되 安全保障 理事會가 그 一次的 責任을 負擔하도록 規定하고 있습니다.

네째, 國際司法裁判所規程은 憲章의 一部를 構成하며 國際聯合會員國은 그 規程의 當然當事國으로서 裁判所의 決定을 遵守할 義務를 지게 됩니다.

이 憲章의 受諾에 관하여는 經濟企劃院, 統一院, 法務部, 國防部 및 法制處(外 18個 部處)등 關係部處와 合議하였고, 加入後 年間 約 400만불로 推算되는 分擔金 納付에 따른 豫算措置가 必要하며, 國際聯合憲章은 憲法 第60條 1項상의 '重要國際組織에 관한 條約'에 해당되므로 憲章受諾을 위하여는 國會의 同意가 必要합니다.

審議 議決하여 주시기 바랍니다. 끝.

0232

豫想質疑答辯 및 參考資料

1991. 6.

國 際 機 構 條 約 局

앙 고 재	조 약 과	91 년 확 인	담 당	과 장	심의관	국 장

0233

목   차

I. 豫想質疑答辯資料

0234

II. 參考資料

0235

Ⅰ. 豫想質疑 答辯資料

1. 我國의 유엔加入 推進經緯

o 우리는 1948年 政府樹立이래 유엔加入을 主要 外交政策 目標의 하나로 設定, 꾸준히 加入키 위하여 努力해 왔으나, 過去 冷戰體制下에서 일부 北韓立場 同調國家들의 反對로 實現되지 못하였음.

- 政府는 1949.1月 外務長官 署理 名義로 加入申請書를 처음 提出한 이후 75.9月까지 總 5차례에 걸쳐 直接 申請했고, 55-58年間 美國等 友邦國에 의해서 我國의 加入決議案이 3차례 提出된 바 있음.

  * 北韓의 경우, 1949-52년간 直接 申請 2회, 57-58년간 蘇聯에 의한 加入 決議案 提出 2회. (총 4회 신청)

o 第6共和國 出帆以後 盧大統領께서는 7.7 宣言을 통하여,

- 北韓이 하루빨리 韓半島의 現實을 土臺로 南北韓 關係를 서로 돕고, 도움을 받는 共存共榮의 關係로 發展시켜 나가는데 呼應할 것을 促求하고,

- 國際情勢의 變化에 맞추어 北方政策을 積極的으로 推進, 東歐圈諸國과의 修交, 昨年 9月 韓.蘇間 外交關係 樹立, 今年初 韓.中間 貿易代表部 交換 設置等 外交的 成果를 거양함으로써 我國의 유엔加入 實現에 유리한 國際的 與件을 造成하였음.

1

0236

o 이러한 國際的 與件을 바탕으로 우리는 지난 4.5.字 政府覺書에서 분명히
  밝힌 바와 같이 年內에 유엔加入을 實現한다는 確固한 意志下에 미, 영, 불등
  우리의 友邦國 및 非同盟 主要國家들의 積極的인 協調와 支援속에서 北韓
  說得 및 中國 態度變化 誘導에 모든 外交力量을 집중시켜 왔으며,

  - 그 결과, 北韓은 5.28. 從來의 立場을 바꾸어 今年에 유엔加入을 申請
    하겠다고 發表하였음.

o 이에 따라 금년 9月 第46次 유엔總會에서는 南北韓이 다함께 유엔에 加入
  하게 될 것으로 展望되는 바, 앞으로 우리는 必要한 國內節次를 完了한 후,
  유엔加入 관련 規定과 유엔내의 慣行을 考慮하고, 또한 友邦國들과도 긴밀히
  協議, 늦어도 8月初까지는 우리의 加入申請書를 유엔事務總長에게 提出
  하고자 함.

o 南北韓의 유엔加入問題와 관련, 지난 5.27. 駐유엔大使를 통하여 유엔駐在
  南北大使間 會談을 開催할 것을 提議하였는 바, 앞으로 北側이 이러한 우리의
  提議에 응해오는 대로,

  - 北韓側과 유엔加入節次 問題와 關聯한 諸般事項을 協議하고자 함.

2

0237

남북한 유엔가입, 1991.9.17. 전41권 (V.20 한국의 유엔가입 국내절차 진행 I, 1990.11월-91.6.15) 243

2. | 유엔加入에 따라 우리나라가 얻는 實益

o 우리나라는 그간 우리의 國際的 位相과 國力에도 불구, 유엔의 會員國이 아님으로써 對外活動에 있어서 많은 不利益과 制約을 감수해 왔음.

o 그러나 이제 유엔에 加入하게 되면, 有形·無形의 큰 자산을 얻게 될 것인 바, 무엇보다 國際社會의 당당한 構成員으로서 우리의 能力과 希望에 相應한 役割과 寄與를 다할 수 있게 됨으로써 國際的 地位가 크게 向上될 것으로 確信함.

o 앞으로 우리나라는 유엔會員國으로서,

  - 유엔내 各種 會議에서 發言權, 投票權, 決議案 提出權, 被選擧權等 모든 權利를 완전히 享有하게 되고,

  - 安保理, 經社理等 유엔의 主要機關 및 專門機構에도 理事國으로서 進出, 우리의 國益에 關聯된 諸般 主要國際問題에 대한 意思決定에 있어서 더욱 더 積極的인 參與를 할 수 있으며,

  - 유엔내 主要機關의 理事國 被選 交涉, 決議案 採擇過程에서 餘他國家와 對等한 立場에서 協商하게 될 것이고,

3

0238

3. 유엔分擔金 關聯 豫算 要請現況

o 우리는 유엔에 加入함으로써 유엔運營經費에 대한 一定比率의 會員國
分擔金을 納付해야 함.

o 유엔 豫算에 대한 우리나라의 分擔金率은 금추 유엔總會에서 確定될
豫定이나 일단 92-94년(3년간)은 0.24%가 될 것으로 展望하고 있습니다.

o 따라서 우리의 유엔分擔金 액수는 槪略的으로
- 유엔豫算에 대한 分擔金 약 250만불,
- 유엔 平和維持軍 活動經費 分擔金 약 70만불,
- ILO 加入에 따른 分擔金 약 50만불,
- 其他 유엔活動에 대한 寄與金 약 50만불로서,
- 每年 總 420만불 내외의 分擔金을 追加 納付해야 할 것으로 推算하고
있습니다.

0239

o 우리나라는 그간 유엔傘下機構 및 其他 政府間 機構活動에 積極 參與하여
  왔으며 유엔 및 ILO를 除外한 國際機構에 대한 分擔金을 納付하여 왔는
  바, 今年度의 경우 총 $6,249,635의 國際機構 分擔金 豫算이 策定되어 있고
  明年度에는 國際機構 活動에의 參與를 더욱 强化한다는 方針下에 同 豫算을
  $9,302,586로 增額하여 經濟企劃院에 要請한 바 있습니다.

o 그러나 上記 92年度 豫算案은 유엔加入을 전제로 하여 編成한 것이 아니
  므로 앞서 말씀드린 바와 같이 유엔 및 ILO 加入에 따른 分擔金 追加所要額
  420만불을 追加하여 92년도 國際機構 分擔金을 $13,123,085로 再編成,
  수일내에 經濟企劃院에 要請하려고 準備하고 있습니다.

o 한편, 來年度 國際機構 分擔金 豫算과는 別途로 今年度 우리나라가 유엔에
  加入한 직후에 91년도분 유엔會員國 分擔金이 請求될 豫定인 바, 이는 會員國
  分擔金 全額이 아니고 약 1/9정도가 될 展望이나 아직 正確한 額數는 算定
  하기 어려우며 일단 수십만불 水準이 될 것으로 보고 있습니다. 금추 유엔에
  加入한후 유엔으로부터 正確한 額數를 통보받은대로 今年度 유엔會員國 分擔金을
  追更豫算 또는 豫備費로 經濟企劃院에 要請하고자 합니다.

0240

3. 유엔 分擔金額

o 우리는 유엔에 加入함으로써 유엔 運營經費에 대한 一定比率의 會員國 分擔金을 納付해야 함.

o 유엔의 豫算은 크게 나누어 一般豫算과 平和維持軍 運營經費로 區分할 수 있는 바, 一般豫算은 年間 약 10억불, 平和維持軍 運營經費는 年間 약 4억불임. 이러한 유엔豫算은 各國의 GNP 및 人口等 支拂能力을 기초로 하여 每 3年마다 유엔總會에서 決定되는 分擔率에 따라 全會員國이 分擔하고 있으며 우리나라의 分擔率은 91年까지는 유엔豫算 總額의 0.22%이고, 92-94年까지는 0.24%가 될 展望임.

o 따라서 우리의 유엔分擔金額의 正確한 額數는 加入後 算定되겠으나 槪略的으로
   - 유엔豫算에 대한 分擔金 약 250만불,
   - 유엔平和維軍 活動警備 分擔金 약 70만불,
   - ILO 加入에 따른 分擔金 약 50만불
   - 其他 유엔活動에 대한 寄與金 약 50만불로서
   - 每年 總 420만불 內外의 分擔金을 追加 納付해야 할 것으로 推算하고 있음.

5

0241

| 참 고 | 我國은 現在 유엔傘下機構 分擔金 및 유엔에 대한 自發的 寄與金 으로서 매년 약 600만불을 納付하고 있는 바, 유엔에 加入하게 되면 상기 400만불의 追加 分擔金을 納付해야 하므로 매년 최소한 약 1,000만불을 유엔 및 그 傘下機構에 分擔金 또는 自發的 寄與金 으로 納付하게 될 展望임. |

6

0242

4. 유연 專門機構에서의 我國分擔金 負擔內譯

o 我國 加入 15개 유연 專門機構중 유네스코등 9개 기구 分擔金은 外務部에서, 萬國郵便聯合(UPU), 國際電氣通信聯合(ITU)의 分擔金은 遞信部에서, 그외 4개기구(IMF,IDA,IBRD,IFC)의 分擔金은 財務部에서 각각 납부하고 있음

o 我國이 유연 會員國으로 加入한 후 國際勞動機構(ILO)에도 가입할 경우 연 50만불 정도의 分擔金이 추가됨

o 유연 專門機構의 義務的 分擔金외에 我國은 현재 UNESCO 및 UNIDO의 일부 사업에만 自發的 기여금을 납부하고 있음. 我國이 유연에 加入한다고 아국의 유연 專門機構 分擔金이 증가하는 것은 아니나 유연專門機構 事業에 대한 自發的 기여금은 我國 國力에 상응하는 수준으로 대폭 증가시켜야 할 것임

o 外務部 납부 유연 專門機構 分擔金 (내역 상세는 별첨)은 90년도에 약 320 만불 執行하였으나 92년도에는 약 490만불이 소요 될것임

7

0243

기 구 명	분담금산정기준	'90 집행액	'91 집행현황	'92 예상액
유엔식량농업 기구(FAO)	UN분담율 × FAO 조정계수	$723,840	$723,840 (기집행)	$796,224
유엔교육과학 문화기구 (UNESCO)	UN 분담율	$625,275	$657,484 (기집행)	$723,200
세계민간항공 기구(ICAO)	국민소득 + 민간항공이해 관계	$254,314	$309,912 (집행예정)	$340,903
정부간 해사 기구(IMO)	UN 분담율 × 등록선박 수	$347,785	$457,220 (기집행)	$502,940
세계보건기구 (WHO)	UN 분담율 × WHO 조정계수	$652,180	$652,180 (기집행)	$717,400
세계지적 재산 기구(WIPO)	1 - 7등급 (회원국 자신 이 결정 ,아국 6등급)	$53,706	$55,222 (집행예정)	$59,300
세계기상기구 (WMO)	UN 분담율 × WMO 조정계수	$53,980	$73,200 (기집행)	$80,520
유엔공업개발 기구(UNIDO)	UN 분담율	$215,609	$215,609 (집행예정)	$215,629
세계노동기구 (ILO)	UN분담율 × ILO 조정계수	0	0	$500,000 (가입시)
국제농업개발 기금(IFAD) 기여금	자발적기여금	0	0	$600,000
유엔공업개발 기금(UNIDF)	"	$35,000	$35,000 (집행예정)	$35,000
UNESCO 정부간 정보학 계획 (IIP)	"	$200,000	$200,000 (집행예정)	$200,000
UNESCO 커뮤니 케이션 개발 계획(IPDC) 신탁기금	"	0	0	$100,000
UNESCO 세종 대왕상 기금	상금 $30,000 +행정비용 $5,000	$35,000	$35,000 (기집행)	$35,000
소 계		$3,166,689	$3,414,659	$4,906,116

8   0244

5. ILO 加入問題

o 유엔會員國이 되면 ILO 事務總長에게 ILO 憲章상 義務를 受諾한다는 通報를
  함으로써 ILO 會員國이 됨

o ILO 加入時 勤勞者의 權益과 福祉增進에 寄與할 수 있다고 봄

o 加入時 ILO 採擇 條約 및 勸告를 준수할 義務가 發生하는 바,
  - 勤勞者 權益의 基本이 되는 結社의 自由에 따라 複數勞組와 公務員 勞組등의
    許容 問題가 發生하는 것은 사실이며
  - 이러한 점을 감안하여 그간 關係部處(勞動部, 教育部, 總務處)에서 加入
    對備 準備 作業中임

o 現在 151個國이 加入하고 있는 ILO는 우리나라가 加入하지 않고 있는 唯一한
  유엔 專門機構인 바, 당부는 關係部處와의 協議하에 適切한 時期에 ILO에
  加入하는 것을 檢討中임

9

0245

공   란

공 란

공   란

공   란

8. 國際司法裁判所의 强制管轄權 受諾問題

o 국제사법재판소의 管轄은 원칙적으로 任意管轄權(合意管轄權)에 기초하고 있으나, 選擇條項이라고 통칭되는 재판소규정 제36조 2항을 수락할 경우, 수락국들사이에서는 別途의 合意가 없어도 재판소의 강제관할권이 성립됨.

o 이러한 選擇條項은 任意管轄權의 短點을 補完하기 위해 만들어진 것으로 규정의 당사국이 됨과 同時에 또는 당사국이 된 以後에 어느때라도 수락할 수 있으며, 無條件附로 또는 一定한 留保를 달아서 할 수도 있고, 一定한 期間을 정해서도 할 수 있음.

o 그러나 選擇條項의 受諾與否, 時期, 條件등이 전적으로 當事國의 裁量에 맡겨져 있어 현재 162개 규정당사국 중 49개만이 이를 수락하고 있고, 수락한 국가의 경우도 거의 대부분이 자국에게 不利한 事項에 관하여 留保를 하고 있음에 따라, 재판소의 강제관할권은 事實上 本來의 機能을 수행하지 못하고 있는 실정임.

  - 재판소 設立以後 强制管轄權에 基해 提訴된 事件은 15건임.

14

0250

o 이에 비추어 우리가 선택조항을 수락하더라도 實益은 별무하다고 보나 유엔 가입을 계기로 紛爭의 平和的 解決에 관한 우리의 意志를 새롭게 闡明한다는 차원에서 適切한 留保를 달아 受諾하는 方案을 肯定的으로 檢討할 필요는 있다고 사료됨.

　　-　예컨대 大韓航空機 擊墜事件 提訴를 위해 우리가 선택조항을 수락하는 경우에도 소련의 未受諾으로 인해 재판소의 강제관할권 成立이 不可能

o 受諾時期와 관련하여서는, 유엔가입 一定期間後에 수락하는 것이 일반적 관행이며, 수락에 앞서 留保內容등에 대한 면밀한 檢討가 필요한 만큼, 우리의 유엔가입과 同時에 選擇條項을 受諾할 必要는 없다고 보며, 앞으로 충분한 시간적 여유를 갖고 특히 獨島 領有權 問題등 隣接國家와의 潛在的인 紛爭 事件의 提訴可能性등에 관해 관련부처 및 학계전문가와 緊密한 協議를 거쳐 決定하는 것이 적절하다고 봄.

　　-　재판소규정당사국들의 受諾時期는 유엔가입후 짧게는 1년 길게는 40년후에 하는등 일정하지 않으나 최근에 유엔에 가입한 국가들은 통상 가입 1-2년 후에 수락선언을 하는 경향을 보이고 있음.

15

0251

공   란

공   란

공   란

공 란

11. 유엔憲章의 國內法상 效力

o 國際聯合總會가 安保理의 勸告에 의거하여 우리나라의 加入을 決定하는
  시점부터 우리나라는 國際聯合憲章상의 義務를 履行할 國際法상 義務가
  발생되며, 國際聯合憲章은 우리 憲法 제6조 1항의 규정에 따라 국내법으로
  受容되어 國內法과 同一한 效力을 가지게 됨.

憲法 제6조 1항

"憲法에 의하여 締結.公布된 條約과 일반적으로 承認된 國際法規는
國內法과 같은 效力을 가진다."

o 이와 관련, 國際聯合憲章의 내용중 國內法과 相衝되는 부분이 있는 경우,
  國際聯合憲章과 국내법의 효력관계 및 國內法의 改廢問題가 대두될 수
  있음.

o 國際聯合憲章의 국내법상 效力順位와 관련, 우리 헌법에 의하여 체결되는
  條約은 憲法의 下位, 法律과 同位라는 것이 다수의 學說이고 政府(法制處)의
  입장인바, 國際聯合憲章은, 憲章 제103조의 規定에 따라 會員國이 체결한
  條約중 最上位條約으로서의 地位를 享有하나 憲章역시 條約의 범주에 해당
  되므로 憲法의 下位, 法律과 同位라고 볼 수 있음.

20   0256

o 따라서, 國際聯合憲章이 憲法規定과 抵觸되는 경우에는 憲法이 우선하며,
   이와 同位인 法律의 內容과 相衝되는 경우에는 '後法優先의 原則'과
   '特別法優先의 원칙'에 따라 順位가 決定되어야 할 것임.

21

0257

12.　中國의 代表權문제

o 1971.10. 國際聯合總會는, 中華人民共和國 정부대표가 國際聯合에 대한
中國의 唯一한 合法的 대표이며 中華人民共和國이 安全保障理事會의
常任理事國의 하나임을 인정하는 결의안(알바니아 案)을 채택,
中華人民共和國 政府가 中國을 대표하는 政權으로 決定되었고
中華民國은 國際聯合으로부터 追放되었음.

o 이로써 憲章 제23조(安保理 常任理事國 構成) 및 제110조(5개 安保理
常任理事國 批准條項)의 "the Republic of China"는 그대로 存置하되 이를
中華人民共和國이 代表하게 되었음.

22

0258

13. | ICJ를 國際司法裁判所로 飜譯한 理由

o Court란 일반적으로 法院을 지칭하는 용어이지만, 아국에서는 『憲法裁判所』
   라는 명칭에서 볼 수 있듯이, 재판업무에 종사하는 司法機關을 반드시
   法院이라는 용어로 통일하고 있지 않음.

o 아국의 경우 憲法裁判所가 一般法院과는 달리 특수하고도 한정된 영역의
   사건을 관장하고 있는 特別法院으로서의 성격을 가지고 있는 것처럼, 현재
   통일적인 國際司法體制가 완비되어 있지 않은 국제사회에서 그나마 일정한
   法律的 紛爭에 관하여 當事國의 合意에 의하여 사건을 관장하는 ICJ도 일반
   國內法院과는 다른 특수한 면을 많이 가지고 있다는 의미에서 裁判所라는
   용어로 飜譯함.

o 특히 그동안 學界·法曹界 등에서 ICJ를 國際司法裁判所라고 飜譯하여 사용
   하여 온 오랜 慣行과 일반인의 認識을 고려할 때, 용어변경시 초래되는 혼란을
   방지할 뿐 아니라 위에서 언급한 바와 같이 特別法院이라는 어감을 가지는
   『裁判所』라는 명칭의 사용이 보다 실용적이라고 봄.

23

0259

Ⅱ. 參 考 資 料

1. 유엔 補助機關 現況 및 活動相

가. 現 況

o 유엔은 總會, 安全保障理事會, 經濟社會理事會, 信託統治理事會, 事務局, 國際司法裁判所等 6個의 主要機關으로 構成되어 있으며,

- 國際平和와 安全의 維持 및 國際經濟協力, 環境保護, 麻藥退治, 人權伸張等 諸般分野에서의 國際協力 增進을 主要任務로 活動하고 있고, 159개국을 會員國으로 갖고 있는 汎世界的인 國際機構임.

o 유엔은 그 산하에

- 유엔 主要機關의 活動을 補助하는 100餘個의 直屬機構와

- 유엔과 연관을 갖고 特殊한 問題들에 對處하기 위해 國家間 協約에 의해 設立되어 獨立的으로 運營되는 16個의 專門機構 및 2個의 獨立機構를 두고 있음.

o 詳細 別添

24

0260

나. 我國活動相

o 유엔 非會員國으로서 參與가 可能한 機構에 加入, 活動中인 바,

- 專門機構 및 其他 獨立機構는 물론 經濟社會分野 유엔 直屬機構에도
  積極 參與하고 있으나,

- 安保理傘下 國際平和維持와 關聯된 機構에 대한 參與는 許容되지
  않고 있음.

o 我國의 國際的 地位向上과 國際機構活動

- 유엔兒童基金(UNICEF), 麻藥委員會(CND), 多國的企業委員會(CTC)
  等에 理事國으로 進出함과 아울러

- 유엔開發計劃(UNDP), 유엔 兒童基金(UNICEF)등과의 關係가 조만간
  受惠國으로부터 供與國으로 轉換될 것으로 豫想되는등 我國의 國際的
  地位가 持續的으로 向上되고 있음.

25

0261

(첨부) 유엔 補助機關 現況

o 總會直屬機構 50個

　　- 총회 임무수행의 필요에 따라 설치

　　- 국제법위원회(ILC), 유엔팔레스타인조정위원회(UNCCP), 인권이사회
　　 (HRC), 고문방지위원회(CAT), 인종차별철폐위원회(CERD)등

o 安保理 直屬機構 10個

　　- 안보리의 평화유지 임무 수행을 위해 구성

　　- 유엔 시리아.이스라엘 휴전감시군(UNDOF), 유엔 이란.이락 군사
　　 감시단(UNIIMOG), 군사참모위원회(MSC)등

o 經濟社會理事會 直屬機構 22個

　　- 경사리의 경제.사회분야 임무수행을 위해 구성

　　- 통계위원회(SC), 인구위원회(PC), 아시아.태평양 경제사회이사회
　　 (ESCAP)등

o 總會.經濟社會理事會 關聯機構 15個

　　- 총회나 경사리의 결의에 따라 특별한 목적하에 별도로 결성

　　- 유엔무역개발회의(UNCTAD), 유엔아동기금(UNICEF), 유엔개발계획
　　 (UNDP), 유엔환경계획(UNEP)등

o 其他 유엔直屬機構 9個

　　- 기타 특별한 계기에 유엔에 의해 설립된 기구

　　- 유엔훈련연구원(UNITAR), 유엔봉사단(UNV)등

26

0262

ㅇ 專門機構 및 其他 獨立機構 18個

- 유엔과 연관을 갖고 특수한 문제들에 대처하기 위해 국가간 협약에 의해 설립되어 독립적으로 운영

* 전문기구 리스트(16)

- 국제노동기구(ILO), 유엔식량농업기구(FAO), 유엔교육과학문화기구(UNESCO), 세계보건기구(WHO), 국제통화기구(IMF), 국제개발협회(IDA), 세계부흥개발은행(IBRD), 국제금융공사(IFC), 국제민간항공기구(ICAO), 만국우편연합(UPU), 국제전기통신연합(ITU), 세계기상기구(WMO), 국제해사기구(IMO), 세계지적소유권기구(WIPO), 국제농업개발기금(IFAD), 유엔공업개발기구(UNIDD)

* 독립기구(2)

- 관세 및 무역에 관한 일반협정(GATT), 국제원자력기구(IAEA)

27

0263

2. 유엔의 專門機構 및 我國의 加入現況

o 總 16個 유엔 專門機構중 我國은 國際勞動機構(ILO)를 제외한 15個 유엔 專門機構에 加入하고 있음(北韓은 11個 機構에 加入)

일련번호	기 구 명	아국가입	북한가입
1	세계보건기구(WHO)	1949	1973.5.
2	유엔식량농업기구(FAO)	1949	1977.11.
3	만국우편연합(UPU)	1949	1974.6.
4	유엔 교육.과학.문화기구(UNESCO)	1950	1974.10.
5	국제전기통신연합(ITU)	1952	1975.9.
6	국제민간항공기구(ICAO)	1952	1977.9.
7	국제통화기금(IMF)	1955	-
8	국제부흥개발은행(IBRD)	1955	-
9	세계기상기구(WMO)	1956	1975.4.
10	국제해사기구(IMO)	1961	1986.4.
11	국제개발협회(IDA)	1961	-
12	국제금융공사(IFC)	1964	-
13	유엔공업개발기구(UNIDO)	1967	1980.1.
14	세계지적소유권기구(WIPO)	1979	1974.8.
15	국제농업개발기금(IFAD)	1978	1986.12.
16	국제노동기구(ILO)	-	-

28

0264

3. 國際聯合 機構表 (유엔傘下및專門機構)
(THE UNITED NATIONS SYSTEM)

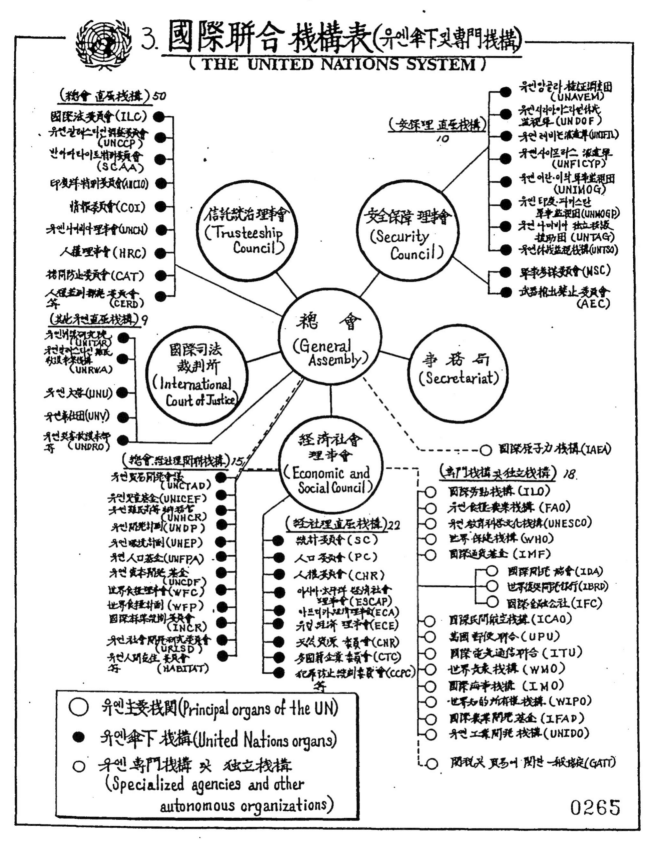

(總會 直屬機構) 50
- 國際法委員會 (ILC) ●
- 유엔팔레스타인調整委員會 (UNCCP) ●
- 반아파타이드特別委員會 (SCAA) ●
- 印度洋特別委員會 (AHCIO) ●
- 情報委員會 (COI) ●
- 유엔서비아理事會 (UNCN) ●
- 人權理事會 (HRC) ●
- 拷問防止委員會 (CAT) ●
- 人種差別撤廢委員會 등 (CERD) ●

(其他 유엔直屬機構) 9
- 유엔연구연수院 (UNITAR) ●
- 유엔팔레스타인難民救護事業部 (UNRWA) ●
- 유엔大學 (UNU) ●
- 유엔義勇團 (UNV) ●
- 유엔災害救護事務局 등 (UNDRO) ●

信託統治理事會 (Trusteeship Council)

安全保障理事會 (Security Council)

國際司法裁判所 (International Court of Justice)

總會 (General Assembly)

事務局 (Secretariat)

(安保理 直屬機構) 10
- 유엔앙골라 檢證調査團 (UNAVEM) ●
- 유엔시리아아프리카代 監視軍 (UNDOF) ●
- 유엔 레바논派遣軍 (UNIFIL) ●
- 유엔사이프러스 派遣軍 (UNFICYP) ●
- 유엔 이란·이락軍事監視團 (UNIMOG) ●
- 유엔 印度·파키스탄 軍事監視團 (UNMOGP) ●
- 유엔 나미비아 獨立移送 援助團 (UNTAG) ●
- 유엔休戰監視機構 (UNTSO) ●
- 軍事參謀委員會 (MSC) ●
- 武器擴散禁止委員會 (AEC) ●

國際原子力機構 (IAEA) ○

經濟社會理事會 (Economic and Social Council)

(總會·經社理聯合機構) 15
- 유엔貿易開發會議 (UNCTAD) ●
- 유엔兒童基金 (UNICEF) ●
- 유엔難民高等辨務官 (UNHCR) ●
- 유엔開發計劃 (UNDP) ●
- 유엔環境計劃 (UNEP) ●
- 유엔人口基金 (UNFPA) ●
- 유엔資本開發基金 (UNCDF) ●
- 世界食糧理事會 (WFC) ●
- 世界食糧計劃 (WFP) ●
- 國際麻藥規制委員會 (INCR) ●
- 유엔社會開發研究委員會 (URISD) ●
- 유엔人間居住委員會 등 (HABITAT) ●

(經社理直屬機構) 22
- 統計委員會 (SC) ●
- 人口委員會 (PC) ●
- 人權委員會 (CHR) ●
- 아시아·太平洋 經濟社會 理事會 (ESCAP) ●
- 아프리카經濟委員會 (ECA) ●
- 유럽經濟理事會 (ECE) ●
- 天然資源委員會 (CHR) ●
- 多國籍企業委員會 (CTC) ●
- 犯罪防止特別委員會 등 (CCPC) ●

(專門機構 및 獨立機構) 18.
- 國際勞動機構 (ILO) ○
- 유엔食糧農業機構 (FAO) ○
- 유엔教育科學文化機構 (UNESCO) ○
- 世界保健機構 (WHO) ○
- 國際通貨基金 (IMF) ○
- 國際開發協會 (IDA) ○
- 世界復興開發銀行 (IBRD) ○
- 國際金融公社 (IFC) ○
- 國際民間航空機構 (ICAO) ○
- 萬國郵便聯合 (UPU) ○
- 國際電氣通信聯合 (ITU) ○
- 世界氣象機構 (WMO) ○
- 國際海事機構 (IMO) ○
- 世界知的所有權機構 (WIPO) ○
- 國際農業開發基金 (IFAD) ○
- 유엔工業開發機構 (UNIDO) ○
- 關税및 貿易에 關한 一般協定 (GATT) ○

- ○ 유엔主要機關 (Principal organs of the UN)
- ● 유엔傘下機構 (United Nations organs)
- ○ 유엔專門機構 및 獨立機構 (Specialized agencies and other autonomous organizations)

0265

29   — 國際機構條約局 —

```
┌─────────────────────────────────────────────────────────┐
│   國際聯合憲章 受諾을 위한 國內節次를 취함에 있어서          │
│                                                           │
│   國會同意案件의 題目을 "國際聯合憲章 受諾同意案"으로 한 根據 │
└─────────────────────────────────────────────────────────┘
```

1. 憲章受諾의 槪念 및 方法

o 國際聯合憲章의 受諾은 國際聯合加入申請을 承認(approved)받기 위한
   하나의 要件(憲章 제4조 제1항)으로 規定됨.

o 憲章(제4조 제2항) 및 總會議事規則(제138조)上, 國際聯合의 會員國이
   되고자 하는 국가가 加入申請書를 憲章義務 受諾宣言書와 함께 事務總長에
   提出할 경우, 安全保障理事會의 勸告를 거쳐 總會의 決定으로 加入申請이
   "承認(approved)" 되는 것으로 規定되어 있으므로, 一般的으로 <u>國際聯合
   加入</u>"이라 함은 "<u>國際聯合 加入申請을 承認받는 것</u>"으로 보는 것이
   正確한 바, 이러한 觀點에서 볼 때 <u>國際聯合加入 問題에 대하여 國際聯合
   憲章은 半閉鎖條約의 일形態로 構成되어 있음</u>. 따라서 이러한 절차에 따른
   國際聯合에의 加入(Admission)과 一般多者條約에의 加入(Accession) 兩者는
   우리 말로는 "加入"이라는 同一한 用語로 表現되나 兩 槪念은 法的으로
   別個의 性格임.

   【例】 國際勞動機構(ILO)의 경우, 國際聯合會員國은 同機構 憲章上의
          義務의 正式受諾(formal acceptance)을 同機構 事務總長에게
          통보함으로서 ILO會員國이 될 수 있는바(ILO憲章 제1조 제3항),
          이경우 ILO憲章 受諾은 ILO加入과 同一概念으로 볼 수 있음.

o "國際聯合憲章受諾"이라 함은 "憲章上 規定된 義務의 受諾(accepts the
   obligations contained in the Chartar)"를 意味하는 것으로서, 일반
   多者間 條約에 대한 어느 국가의 加入(Accession)·受諾(Acceptance)·
   承認(Approval)등의 행위는 그 條約上 規定된 法的權利와 義務에의

                                                            0266

覊束的 同意의 表示로 看做되므로(條約法에 관한 비엔나協約 제2조)
상기 "憲章上 規定된 義務의 受諾" 行爲도 國際聯合 會員國이 되고자
하는 國家의 憲章上 規定된 義務에 대한 覊束的 同意의 表示로 看做되며
따라서 國際聯合憲章 受諾은 "多者條約의 受諾"으로 擬制됨.

o 國際聯合憲章 受諾의 形態는 加入申請書를 事務總長에 提出時 憲章受諾
宣言書(Declaration)를 正式文書形態 (in a formal instrument)로 作成
하여 함께 提出하도록 되어 있는 바(安保理 議事規則 제58조 및 總會
議事規則 제134조) 이는 一般多者條約의 경우 "受諾書(Instrument of
Acceptance)"에 該當함.

2. 國會同意案件의 題目

o 憲法 제60조 제1항에 따라 國際組織에 관한 條約에의 加入(受諾.承認)을
위한 國會同意案件 提出時 동 案件의 題目을 "....條約 加入(受諾.承認)
同意案"으로 하여온 것이 慣行이므로,

o 今番 國際聯合憲章 受諾을 위한 案件의 題目을 "國際聯合憲章 受諾同意案"
으로 함. 끝.

0267

발 신 전 보

<table>
<tr><td></td><td>분류번호</td><td>보존기간</td></tr>
<tr><td></td><td></td><td></td></tr>
</table>

번   호 : WJA-2653   910610 1848 FO   종별 :

수   신 : 주 일   대사. 병영씨/

발   신 : 장 관 (조 약)

제   목 : 유 엔헌장수 락

1. 본부는 아국의 유엔가입 추진에 따라 그 가입요건중의 유엔헌장의
   수락을 위한 국내법절차를 추진중에 있음.

2. 상기와 관련, 일본이 유엔헌장수락의 전 또는 후에 일본 국내법을 개폐한
   전례가 있는지 여부와, 있다면 대상법명 및 주요내용을 파악 보고 바람.

                                    (국제기구조약국장 문동석)

<table>
<tr><td></td><td></td><td></td><td></td><td>보 안
통 제</td><td>인</td></tr>
</table>

<table>
<tr><td rowspan="2">안
고
재</td><td rowspan="2">91년
6월
10일
조약
과</td><td>기안자
성명</td><td></td><td>과 장</td><td>심의관</td><td>국 장</td><td></td><td>차 관</td><td>장 관</td><td rowspan="2">외신과통제</td></tr>
<tr><td>술</td><td></td><td>인</td><td></td><td>전결</td><td></td><td></td><td>인</td></tr>
</table>

0268

분류번호	보존기간

발 신 전 보

번 호 : WUN-1652   910610 1901 FO   종별 : _____

수 신 : 주   유엔   대사. ~~총장양사~~
　　　　　　　(국연)

발 신 : 장 관

제 목 : 유엔가입 추진

　　1.　금추 유엔가입과 관련 정부는 "유엔헌장 수락안"을 6.11. 차관회의,
6.13. 국무회의에서 심의예정임.

　　2.　현재 임시국회를 7.8.부터 일주일간 개회하는 문제를 여야간 협의
하고 있으며, 동 임시국회시 유엔가입 국회동의를 얻을 계획임을 참고바람.

　　　　　　　　　　　　　　　　　　　　　(국제기구조약국장   문동석)

보 안 통 제	~~(서명)~~

| 앙 고 재 | 91년 6월 10일 | 기안자 성명 유엔과 ~~(서명)~~ | 과 장 ~~(서명)~~ | 국 장 전결 | 차 관 | 장 관 ~~(서명)~~ | 외신과통제 |

0269

법 제 처   민

일국 20411 *190*   720-3633   1991. 6. 11.

수신 외무부장관

제목 국제연합헌장의 수락에 관한 의견회신

　　1. 조약 20411-25011(1991. 6. 1)과 관련됩니다.

　　2. 국제연합헌장의 수락에 관하여 검토한바,　이는 우리나라가 국제사회의 책임있는 구성국으로서 정당한　역할과　의무를　담당하기 위하여 국제연합에 가입함으로써 국제사회의　모든 국가와 우호관계를 발전시키고 경제·사회·문화협력을 증진하며 한반도를 포함한 세계의 평화와 안전의 유지에 이바지하려는 것으로서, 국제연합헌장의 수락은 중요한 국제조직에 관한 조약으로서 헌법 제60조제1항의 규정에 의하여 국회의 동의를 얻어야 할 조약에 해당되는 것으로 판단됩니다.

첨부 : 국제연합헌장 및 국제사법재판소규정 심사안 각 1부

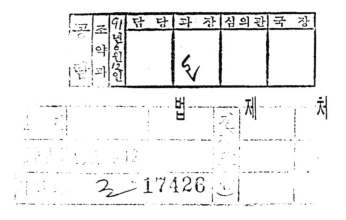

0270

국제연합헌장

우리 연합국 국민들은

우리 일생중에 두번이나 말할 수 없는 슬픔을 인류에 가져온 전쟁의 불행에서 다음 세대를 구하고,

기본적 인권, 인간의 존엄 및 가치, 남녀 및 대소 각국의 평등권에 대한 신념을 재확인하며,

정의와 조약 및 기타 국제법의 연원으로부터 발생하는 의무에 대한 존중이 계속 유지될 수 있는 조건을 확립하며, ~~크라고~~

더 많은 자유속에서 사회적 진보와 생활수준의 향상을 촉진할 것을 결의하였다.

그리고 이러한 목적을 위하여

관용을 실천하고 선량한 이웃으로서 상호간 평화롭게 같이 생활하며,

국제평화와 안전을 유지하기 위하여 우리들의 힘을 합하며,

공동이익을 위한 경우 이외에는 무력을 사용하지 아니한다는 것을 원칙의 수락과 방법의 설정에 의하여 보장하고, ~~보라고~~

모든 국민의 경제적 및 사회적 발전을 촉진하기 위하여 국제기관을 이용한다는 것을 결의하면서,

이러한 목적을 달성하기 위하여 우리의 노력을 결집할 것을 결정하였다.

따라서, 우리 각자의 정부는, 샌프란시스코에 모인, 유효하고 타당한 것으로 인정된 전권위임장을 제시한 대표를 통하여, 이 국제연합헌장에 동의하고, 국제연합이라는 국제기구를 이에 설립한다.

1

0271

제 1 장
목적과 원칙

제 1 조

국제연합의 목적은 다음과 같다.

1. 국제평화와 안전을 유지하며, 이를 위하여 평화에 대한 위협의 방지와 제거 그리고 침략행위 또는 기타 평화의 파괴를 진압하기 위한 유효한 집단적 조치를 취하며, 그리고 평화의 파괴로 이를 우려가 있는 국제적 분쟁 또는 사태의 조정 또는 해결을 평화적 수단에 의하여 또한 정의 및 국제법의 원칙에 따라 실현하는 것.

2. 사람들의 평등권 및 자결의 원칙의 존중에 기초하여 국가간의 우호관계를 발전시키며, 세계평화를 강화하기 위한 기타 적절한 조치를 취하는 것.

3. 경제적·사회적·문화적 또는 인도적 성격의 국제문제를 해결하고 또한 인종·성별·언어 또는 종교에 따른 차별없이 모든 사람의 인권 및 기본적 자유에 대한 존중을 촉진하고 장려함에 있어 국제적 협력을 달성하는 것.

4. 이러한 공동의 목적을 달성함에 있어서 각국의 활동을 조화시키는 중심이 되는 것.

제 2 조

이 기구 및 그 회원국은 제1조에 명시한 목적을 추구함에 있어서 다음의 원칙에 따라 행동한다.

1. 기구는 모든 회원국의 주권평등 원칙에 기초한다.

2. 모든 회원국은 회원국의 지위에서 발생하는 권리와 이익을 그들 모두에 보장하기 위하여, 이 헌장에 따라 부과되는 의무를 성실히 이행한다.

2

0272

3. 모든 회원국은 그들의 국제분쟁을 국제평화와 안전 그리고 정의를 위태롭게 하지 아니하는 방식으로 평화적 수단에 의하여 해결한다.

4. 모든 회원국은 그 국제관계에 있어서 다른 국가의 영토보전이나 또는 정치적 독립에 대하여 또는 국제연합의 목적과 양립하지 아니하는 어떠한 기타 방식으로도 무력의 위협이나 무력행사를 삼간다.

5. 모든 회원국은 국제연합이 이 헌장에 따라 취하는 어떠한 조치에 있어서도 모든 원조를 다하며, 국제연합이 방지조치 또는 강제조치를 취하는 대상이 되는 어떠한 국가에 대하여도 원조를 삼간다.

6. 기구는 국제연합의 회원국이 아닌 국가가, 국제평화와 안전을 유지하는데 필요한 한, 이러한 원칙에 따라 행동하도록 확보한다.

7. 이 헌장의 어떠한 규정도 본질상 어떤 국가의 국내 관할권안에 있는 사항에 간섭할 권한을 국제연합에 부여하지 아니하며, 또는 그러한 사항을 이 헌장에 의한 해결에 맡기도록 회원국에 요구하지 아니한다. 단, 이 원칙은 제7장에 의한 강제조치의 적용을 해하지 아니한다.

제 2 장
회원국의 지위

제 3 조

국제연합의 원회원국은, 샌프란시스코에서 국제기구에 관한 연합국 회의에 참가한 국가 또는 1942년 1월 1일의 연합국 선언에 서명한 국가로서, 이 헌장에 서명하고 제110조에 따라 이를 비준한 국가이다.

제 4 조

1. 국제연합의 회원국 지위는 이 헌장에 규정된 의무를 수락하고, 이러한 의무를 이행할 능력과 의사가 있다고 기구가 판단하는 ~~어다~~ 그밖의 평화애호국 모두에 개방된다.

2. 그러한 국가의 국제연합회원국으로의 승인은 안전보장이사회의 권고에 따라 총회의 결정에 의하여 이루어진다.

제 5 조

안전보장이사회에 의하여 취하여지는 방지조치 또는 강제조치의 대상이 되는 국제연합회원국에 대하여는 총회가 안전보장이사회의 권고에 따라 회원국으로서의 권리와 특권의 행사를 정지시킬 수 있다. 이러한 권리와 특권의 행사는 안전보장이사회에 의하여 회복될 수 있다.

제 6 조

이 헌장에 규정된 원칙을 ~~집요하게~~ 끈질기게 위반하는 국제연합회원국은 총회가 안전보장이사회의 권고에 따라 기구로부터 제명할 수 있다.

제 3 장
기 관

제 7 조

1. 국제연합의 주요기관으로서 총회ⅴ안전보장이사회ⅴ경제사회이사회ⅴ 신탁통치이사회ⅴ국제사법재판소 및 사무국을 설치한다.

2. 필요하다고 인정되는 보조기관은 이 헌장에 따라 설치될 수 있다.

4

0274

제 8 조

국제연합은 남녀가 어떠한 능력으로서든 그리고 평등의 조건으로
그 주요기관 및 보조기관에 참가할 자격이 있음에 대하여 어떠한 제한도
두어서는 아니된다.

제 4 장
총 회

구성

제 9 조

1. 총회는 모든 국제연합회원국으로 구성된다.

2. 각 회원국은 총회에 5인이하의 대표를 둔다.

임무 및 권한

제 10 조

총회는 이 헌장의 범위안에 있거나 또는 이 헌장에 규정된 어떠한 기관의
권한 및 임무에 관한 어떠한 문제 또는 어떠한 사항도 토의할 수 있으며,
그리고 제12조에 규정된 경우를 제외하고는, 그러한 문제 또는 사항에 관하여
국제연합회원국 또는 안전보장이사회 또는 이 양자에 대하여 권고할 수 있다.

제 11 조

1. 총회는 국제평화와 안전의 유지에 있어서의 협력의 일반원칙을,
군비축소 및 군비규제를 규율하는 원칙을 포함하여 심의하고, 그러한 원칙과
관련하여 회원국이나 안전보장이사회 또는 이 양자에 대하여 권고할 수 있다.

2. 총회는 국제연합회원국이나 안전보장이사회 또는 제35조 제2항에
따라 국제연합회원국이 아닌 국가에 의하여 총회에 회부된 국제평화와 안전의

5

0275

유지에 관한 어떠한 문제도 토의할 수 있으며, 제12조에 규정된 경우를 제외하고는 그러한 문제와 관련하여 1 또는 그 이상의 관계국 <s>또는</s> 이나 안전보장이사회 또는 이 양자에 대하여 권고할 수 있다. 그러한 문제로서 조치를 필요로 하는 것은 토의의 전 또는 후에 총회에 의하여 안전보장이사회에 회부된다.

3. 총회는 국제평화와 안전을 위태롭게 할 우려가 있는 사태에 대하여 안전보장이사회의 주의를 환기할 수 있다.

4. 이 조에 규정된 총회의 권한은 제10조의 일반적 범위를 제한하지 아니한다.

제 12 조

1. 안전보장이사회가 어떠한 분쟁 또는 사태와 관련하여 이 헌장에서 부여된 임무를 수행하고 있는 동안에는 총회는 이 분쟁 또는 사태에 관하여 안전보장이사회가 요청하지 아니하는 한 어떠한 권고도 하지 아니한다.

2. 사무총장은 안전보장이사회가 다루고 있는 국제평화와 안전의 유지에 관한 어떠한 사항도 안전보장이사회의 동의를 얻어 매 회기중 총회에 통고하며, 또한 사무총장은, 안전보장이사회가 그러한 사항을 다루는 것을 중지한 경우, 즉시 총회 또는 총회가 회기중이 아닐 경우에는 국제연합회원국에 마찬가지로 통고한다.

제 13 조

1. 총회는 다음의 목적을 위하여 연구를 발의하고 권고한다.
   가. 정치적 분야에 있어서 국제협력을 촉진하고, 국제법의 점진적 발달 및 그 법전화를 장려하는 것 한다

6

0276

나. 경제·사회·문화·교육 및 보건분야에 있어서 국제협력을 촉진하며 그리고 인종·성별·언어 또는 종교에 관한 차별없이 모든 사람을 위하여 인권 및 기본적 자유들 실현하는데 ~~있어~~ 원조~~하는 것~~ 란다

2. ~~권개~~ 제1항 나호에 ~~연급~~규정된 사항에 관~~하여~~한 총회의 추가적 책임, 임무 및 권한은 제9장과 제10장에 규정된다.

제 14 조

제12조 규정을 따를 것을 조건으로 총회는 그 원인에 관계없이 일반적 복지 또는 국가간의 우호관계를 해할 우려가 있다고 인정되는 어떠한 사태도 이의 평화적 조정을 위한 조치를 권고할 수 있다. 이 사태는 국제연합의 목적 및 원칙을 정한 이 헌장규정의 위반으로부터 발생하는 사태를 포함한다.

제 15 조

1. 총회는 안전보장이사회로부터 연례보고와 특별보고를 받아 심의한다. 이 보고는 안전보장이사회가 국제평화와 안전을 유지하기 위하여 결정하거나 또는 취한 조치의 설명을 포함한다.

2. 총회는 국제연합의 다른 기관으로부터 보고를 받아 심의한다.

제 16 조

총회는 제12장과 제13장에 의하여 부과된 국제신탁통치제도에 관한 임무를 수행한다. 이 임무는 전략지역으로 지정되지 아니한 지역에 관한 신탁통치 협정의 승인을 포함한다.

7

제 17 조

1. 총회는 기구의 예산을 심의하고 승인한다.

2. 기구의 경비는 총회에서 ~~할당~~ 배정한 바에 따라 회원국이 부담한다.

3. 총회는 제57조에 ~~언급~~ 규정된 전문기구와의 어떠한 재정약정 및 예산약정도 심의하고 승인하며, 당해 전문기구에 권고할 목적으로 그러한 전문기구의 행정적 예산을 검사한다.

표결

제 18 조

1. 총회의 각 구성국은 1개의 투표권을 가진다.

2. 중요문제에 관한 총회의 결정은 출석하여 투표하는 구성국의 3분의 2의 다수로 한다. 이러한 문제는 국제평화와 안전의 유지에 관한 권고, 안전보장 이사회의 비상임이사국의 선출, 경제사회이사회의 이사국의 선출, 제86조 제1항 다호에 의한 신탁통치이사회의 이사국의 선출, 신회원국의 국제연합 가입의 승인, 회원국으로서의 권리 및 특권의 정지, 회원국의 제명, 신탁통치제도의 운영에 관한 문제 및 예산문제를 포함한다.

3. 기타 문제에 관한 결정은 3분의 2의 다수로 결정될 문제의 추가적 위범주의 결정을 포함하여 출석하여 투표하는 구성국의 과반수로 한다.

제 19 조

기구에 대한 재정적 분담금의 지붕을 연체한 국제연합회원국은 그 연체 금액이 그때까지의 만 2년간 그 나라가 지불하였어야 할 분담금의 금액과 같거나 또는 초과하는 경우 총회에서 투표권을 가지지 못한다. 그럼에도 총회는, 지불의 불이행이 그 회원국이 제어할 수 없는 사정에 의한 것임이 인정되는 경우, 그 회원국의 투표를 허용할 수 있다.

8

0278

절차

제 20 조

총회는 연례정기회기 및 필요한 경우에는 특별회기로서 ~~회합한다~~ 개최한다
특별회기는 안전보장이사회의 요청 또는 국제연합회원국의 과반수의 요청에
따라 사무총장이 소집한다.

제 21 조

총회는 그 자체의 의사규칙을 채택한다. 총회는 매회기마다 의장을
선출한다.

제 22 조

총회는 그 임무의 수행에 필요하다고 인정되는 보조기관을 설치할 수
있다.

제 5 장
안전보장이사회

구성

제 23 조

1. 안전보장이사회는 15개 국제연합회원국으로 구성된다. 중화민국∨
불란서∨소비여트사회주의공화국연방∨영국 및 미합중국은 안전보장이사회의
상임이사국이다. 총회는 먼저 국제평화와 안전의 유지 및 기구의 기타
목적에 대한 국제연합회원국의 공헌과 또한 공평한 지리적 배분을 특별히
고려하여 그외 10개의 국제연합회원국을 안전보장이사회의 비상임이사국으로
선출한다.

9

0279

2. 안전보장이사회의 비상임이사국온 2년의 임기로 선출된다. 안전보장
이사회의 이사국이 11개국에서 15개국으로 증가된 후 최초의 비상임이사국
선출에서는, 추가된 4개이사국중 2개이사국온 1년의 임기로 선출된다. 퇴임
이사국온 연이어 재선될 자격을 가지지 아니한다.

3. 안전보장이사회의 각 이사국온 1인의 대표를 둔다.

임무와 권한

제 24 조

1. 국제연합의 신속하고 효과적인 조치를 확보하기 위하여, 국제연합
회원국온 국제평화와 안전의 유지를 위한 일차적 책임을 안전보장이사회에
부여하며, 또한 안전보장이사회가 그 책임하에 의무를 이행함에 있어
회원국을 대신하여 활동하는 것에 동의한다.

2. 이러한 의무를 이행함에 있어 안전보장이사회는 국제연합의 목적과
원칙에 따라 활동한다. 이러한 의무를 이행하기 위하여 안전보장이사회에
부여된 특정한 권한은 제6장 내지 제7장 제8장 및 제12장에 규정된다.

3. 안전보장이사회는 연례보고 및 필요한 경우에는 특별보고를 총회에
심의하도록 제출한다.

제 25 조

국제연합회원국온 안전보장이사회의 결정을 이 헌장에 따라 수락하고
이행할 것을 동의한다.

제 26 조

세계의 인적 및 경제적 자원을 군비를 위하여 최소한으로 전용함으로써
국제평화와 안전의 확립 및 유지를 촉진하기 위하여, 안전보장이사회는 군비

18

0280

규제체제의 확립을 위하여 국제연합회원국에 제출되는 계획을 제47조에 규정된 군사참모위원회의 원조를 받아 작성할 책임을 진다.

표결

제 27 조

1. 안전보장이사회의 각 이사국은 1개의 투표권을 가진다.

2. 절차사항에 관한 안전보장이사회의 결정은 9개이사국의 찬성투표로써 한다.

3. 그외 모든 사항에 관한 안전보장이사회의 결정은 상임이사국의 동의 투표를 포함한 9개이사국의 찬성투표로써 한다. 다만 제6장 및 제52조 제3항에 의한 결정에 있어서는 분쟁당사국은 투표를 기권한다.

절차

제 28 조

1. 안전보장이사회는 계속적으로 임무를 수행할 수 있도록 조직된다. 이를 위하여 안전보장이사회의 각 이사국은 기구의 소재지에 항상 대표를 둔다.

2. 안전보장이사회는 정기회의를 개최한다. 이 회의에 각 이사국은 희망하는 경우, 각료 또는 특별히 지명된 다른 대표에 의하여 대표될 수 있다.

3. 안전보장이사회는 그 사업을 가장 쉽게 할 수 있다고 판단되는 기구의 소재지 외의 장소에서 회의를 개최할 수 있다.

제 29 조

안전보장이사회는 그 임무의 수행에 필요하다고 인정되는 보조기관을 설치할 수 있다.

11

0281

제 30 조

안전보장이사회는 의장선출방식을 포함한 그 자체의 의사규칙을 채택한다.

제 31 조

안전보장이사회의 이사국이 아닌 어떠한 국제연합회원국도 안전보장
이사회가 그 회원국의 이해가 특히 영향을 받는다고 인정할 때에는 언제든지
안전보장이사회에 회부된 어떠한 문제의 토의에 투표권없이 참가할 수 있다.

제 32 조

안전보장이사회의 이사국이 아닌 국제연합회원국 또는 국제연합회원국이
아닌 어떠한 국가도 안전보장이사회에서 심의중인 분쟁의 당사자인 경우에는
이 분쟁에 관한 토의에 투표권없이 참가하도록 초청된다. 안전보장이사회는
국제연합회원국이 아닌 국가의 참가에 공정하다고 인정되는 조건을 정한다.

제 6 장
분쟁의 평화적 해결

제 33 조

1. 어떠한 분쟁도 그의 계속이 국제평화와 안전의 유지를 위태롭게 할
우려가 있는 것일 경우, 그 분쟁의 당사자는 우선 교섭·심사·중개·조정·중재재판.
사법적 해결.지역적 기관 또는 지역적 약정의 이용 또는 당사자가 선택하는 다른
평화적 수단에 의한 해결을 구한다.

2. 안전보장이사회는 필요하다고 인정하는 경우 당사자에 대하여
분쟁을 그러한 수단에 의하여 해결하도록 요청한다.

12

0282

제 34 조

안전보장이사회는 어떠한 분쟁에 관하여도, 또는 국제적 마찰이 되거나 분쟁을 발생하게 할 우려가 있는 어떠한 사태에 관하여도, 그 분쟁 또는 사태의 계속이 국제평화와 안전의 유지를 위태롭게 할 우려가 있는지 여부를 결정하기 위하여 조사할 수 있다.

제 35 조

1. 국제연합회원국은 어떠한 분쟁에 관하여도, 또는 제34조에 규정된 성격의 어떠한 사태에 관하여도, 안전보장이사회 또는 총회의 주의를 환기할 수 있다.

2. 국제연합회원국이 아닌 국가는 자국이 당사자인 어떠한 분쟁에 관하여도, 이 헌장에 규정된 평화적 해결의 의무를 그 분쟁에 관하여 미리 수락하는 경우에는 안전보장이사회 또는 총회의 주의를 환기할 수 있다.

3. 이 조에 의하여 주의가 환기된 사항에 관한 총회의 절차는 제11조 및 제12조의 규정에 따른다.

제 36 조

1. 안전보장이사회는 제33조에 규정된 성격의 분쟁 또는 유사한 성격의 사태의 어떠한 단계에 있어서도 적절한 조정절차 또는 조정방법을 권고할 수 있다.

2. 안전보장이사회는 당사자가 이미 채택한 분쟁해결절차를 고려하여야 한다.

3. 안전보장이사회는, 이 조에 의하여 권고를 함에 있어서, 일반적으로 법률적 분쟁이 국제사법재판소규정의 규정에 따라 당사자에 의하여 동 재판소에 회부되어야 한다는 점도 또한 고려하여야 한다.

제 37 조

1. 제33조에 규정된 성격의 분쟁의 당사자는, 동 조에 규정된 수단에 의하여 분쟁을 해결하지 못하는 경우, 이를 안전보장이사회에 회부한다.

2. 안전보장이사회는 분쟁의 계속이 국제평화와 안전의 유지를 위태롭게 할 우려가 실제로 있다고 인정하는 경우 제36조에 의하여 조치를 취할 것인지 또는 적절하다고 인정되는 해결조건을 권고할 것인지를 결정한다.

제 38 조

제33조 내지 제37조의 규정을 해하지 아니하고, 안전보장이사회는 어떠한 분쟁에 관하여도 분쟁의 모든 당사자가 요청하는 경우 그 분쟁의 평화적 해결을 위하여 그 당사자에게 권고할 수 있다.

제 7 장
평화에 대한 위협, 평화의 파괴 및 침략행위에 관한 조치

제 39 조

안전보장이사회는 평화에 대한 위협, 평화의 파괴 또는 침략행위의 존재를 결정하고, 국제평화와 안전을 유지하거나 이를 회복하기 위하여 권고하거나, 또는 제41조 및 제42조에 따라 어떠한 조치를 취할 것인지를 결정한다.

14

0284

제 40 조

사태의 악화를 방지하기 위하여 안전보장이사회는 제39조에 규정된 권고를 하거나 조치를 결정하기 전에 필요하거나 바람직하다고 인정되는 잠정조치에 따르도록 관계당사자에게 요청할 수 있다. 이 잠정조치는 관계당사자의 권리, 청구권 또는 지위를 해하지 아니한다. 안전보장이사회는 그러한 잠정조치의 불이행을 적절히 고려한다.

제 41 조

안전보장이사회는 그의 결정을 집행하기 위하여 병력의 사용을 수반하지 아니하는 어떠한 조치를 취하여야 할 것인지를 결정할 수 있으며, 또한 국제연합회원국에 대하여 그러한 조치를 적용하도록 요청할 수 있다. 이 조치는 경제관계 및 철도·항해·항공·우편·전신·무선통신 및 다른 교통통신수단의 전부 또는 일부의 중단과 외교관계의 단절을 포함할 수 있다.

제 42 조

안전보장이사회는 제41조에 규정된 조치가 불충분할 것으로 인정하거나 또는 불충분한 것으로 판명되었다고 인정하는 경우에는, 국제평화와 안전의 유지 또는 회복에 필요한 공군·해군 또는 육군에 의한 조치를 취할 수 있다. 그러한 조치는 국제연합회원국의 공군·해군 또는 육군에 의한 시위·봉쇄 및 다른 작전을 포함할 수 있다.

제 43 조

1. 국제평화와 안전의 유지에 공헌하기 위하여 모든 국제연합회원국은 안전보장이사회의 요청에 의하여 그리고 1 또는 그 이상의 특별협정에 따라, 국제평화와 안전의 유지 목적상 필요한 병력·원조 및 통과권을 포함한 편의를 안전보장이사회에 이용하게 할 것을 약속한다.

15

0285

2. 그러한 협정은 병력의 수 및 종류, 그 준비정도 및 일반적 배치와 제공될 편의 및 원조의 성격을 규율한다.

3. 그 협정은 안전보장이사회의 발의에 의하여 가능한 한 신속히 교섭되어야 한다. 이 협정은 안전보장이사회와 회원국간에 또는 안전보장이사회와 회원국집단간에 체결되며, 서명국 각자의 헌법상의 절차에 따라 동 서명국에 의하여 비준되어야 한다.

제 44 조

안전보장이사회는 무력을 사용하기로 결정한 경우 이사회에서 대표되지 아니하는 회원국에게 제43조에 따라 부과된 의무의 이행으로서 병력의 제공을 요청하기 전에 그 회원국이 희망한다면 그 회원국 병력중 파견부대의 사용에 관한 안전보장이사회의 결정에 참여하도록 그 회원국을 초청한다.

제 45 조

국제연합이 긴급한 군사조치를 취할 수 있도록 하기 위하여, 회원국은 합동의 국제적 강제조치를 위하여 자국의 공군파견부대를 즉시 이용할 수 있도록 유지한다. 이러한 파견부대의 전력과 준비정도 및 합동조치를 위한 계획은 제43조에 규정된 1 또는 그 이상의 특별협정에 규정된 범위안에서 군사참모위원회의 도움을 얻어 안전보장이사회가 결정한다.

제 46 조

병력사용계획은 군사참모위원회의 도움을 얻어 안전보장이사회가 작성한다.

16

0286

제 47 조

1. 국제평화와 안전의 유지를 위한 안전보장이사회의 군사적 필요, 안전보장이사회의 재량에 맡기어진 병력의 사용 및 지휘, 군비규제 그리고 가능한 군비축소에 관한 모든 문제에 관하여 안전보장이사회에 조언하고 도움을 주기 위하여 군사참모위원회를 설치한다.

2. 군사참모위원회는 안전보장이사회 상임이사국의 참모총장 또는 그의 대표로 구성된다. 이 위원회에 상임위원으로서 대표되지 아니하는 국제연합 회원국은 위원회의 책임의 효과적인 수행을 위하여 위원회의 사업에 동 회원국의 참여가 필요한 경우에는 위원회에 의하여 그와 제휴하도록 초청된다.

3. 군사참모위원회는 안전보장이사회하에 안전보장이사회의 재량에 맡기어진 병력의 전략적 지도에 대하여 책임을 진다. 그러한 병력의 지휘에 관한 문제는 추후에 해결한다.

4. 군사참모위원회는 안전보장이사회의 허가를 얻어 그리고 적절한 지역 기구와 협의한 후 지역소위원회를 설치할 수 있다.

제 48 조

1. 국제평화와 안전의 유지를 위한 안전보장이사회의 결정을 이행하는 데 필요한 조치는 안전보장이사회가 정하는 바에 따라 국제연합회원국의 전부 또는 일부에 의하여 취하여진다.

2. 그러한 결정은 국제연합회원국에 의하여 직접적으로 또한 국제연합 회원국이 그 구성국인 적절한 국제기관에 있어서의 이들 회원국의 조치를 통하여 이행된다.

17

제 49 조

국제연합회원국은 안전보장이사회가 결정한 조치를 이행함에 있어 상호원조를 제공하는 데에 참여한다.

제 50 조

안전보장이사회가 어느 국가에 대하여 방지조치 또는 강제조치를 취하는 경우, 국제연합회원국인지 아닌지를 불문하고 어떠한 다른 국가도 자국이 이 조치의 이행으로부터 발생하는 특별한 경제문제에 직면한 것으로 인정하는 경우, 동 문제의 해결에 관하여 안전보장이사회와 협의할 권리를 가진다.

제 51 조

이 헌장의 어떠한 규정도 국제연합회원국에 대하여 무력공격이 발생한 경우, 안전보장이사회가 국제평화와 안전을 유지하기 위하여 필요한 조치를 취할 때까지 개별적 또는 집단적 자위의 고유한 권리를 침해하지 아니한다. 자위권을 행사함에 있어 회원국이 취한 조치는 즉시 안전보장이사회에 보고된다. 또한 이 조치는, 안전보장이사회가 국제평화와 안전의 유지 또는 회복을 위하여 필요하다고 인정하는 조치를 언제든지 취한다는, 이 헌장에 의한 안전보장 이사회의 권능과 책임에 어떠한 영향도 미치지 아니한다.

제 8 장
지역적 약정

제 52 조

1. 이 헌장의 어떠한 규정도, 국제평화와 안전의 유지에 관한 사항으로서 지역적 조치에 적합한 사항을 처리하기 위하여 지역적 약정 또는 지역적 기관이 존재하는 것을 배제하지 아니한다. 다만, 이 약정 또는 기관 및 그 활동이 국제연합의 목적과 원칙에 일치하는 것을 조건으로 한다.

18

0288

2. 그러한 약정을 체결하거나 그러한 기관을 구성하는 국제연합회원국은 지역적 분쟁을 안전보장이사회에 회부하기 전에 이 지역적 약정 또는 지역적 기관에 의하여 그 분쟁의 평화적 해결을 성취하기 위하여 모든 노력을 다한다.

3. 안전보장이사회는 관계국의 발의에 의하거나 안전보장이사회의 회부에 의하여 그러한 지역적 약정 또는 지역적 기관에 의한 지역적 분쟁의 평화적 해결의 발달을 장려한다.

4. 이 조는 제34조 및 제35조의 적용을 결코 해하지 아니한다.

제 53 조

1. 안전보장이사회는 그 권위하에 취하여지는 강제조치를 위하여 적절한 경우에는 그러한 지역적 약정 또는 지역적 기관을 이용한다. 다만, 안전보장이사회의 허가없이는 어떠한 강제조치도 지역적 약정 또는 지역적 기관에 의하여 취하여져서는 아니된다. 그러나 이 조 제2항에 규정된 어떠한 적국에 대한 조치이든지 제107조에 따라 규정된 것 또는 적국에 의한 침략정책의 재현에 대비한 지역적 약정에 규정된 것은, 관계정부의 요청에 따라 기구가 그 적국에 의한 새로운 침략을 방지할 책임을 질 때까지는 예외로 한다.

2. 이 조 제1항에서 사용된 "적국"이라는 용어는 제2차 세계대전중에 이 헌장 서명국의 적국이었던 어떠한 국가에도 적용된다.

제 54 조

안전보장이사회는 국제평화와 안전의 유지를 위하여 지역적 약정 또는 지역적 기관에 의하여 착수되었거나 또는 계획되고 있는 활동에 대하여 항상 충분히 통보받는다.

19

0289

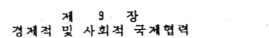

제 9 장
경제적 및 사회적 국제협력

제 55 조

사람의 평등권 및 자결원칙의 존중에 기초한 국가간의 평화롭고 우호적인 관계에 필요한 안정과 복지의 조건을 창조하기 위하여, 국제연합은 다음을 촉진한다.

    가. 보다 높은 생활수준, 완전고용 그리고 경제적 및 사회적 진보와 발전의 조건

    나. 경제.사회.보건 및 관련국제문제의 해결 그리고 문화 및 교육상의 국제협력 및

    다. 인종.성별.언어 또는 종교에 관한 차별이 없는 모든 사람을 위한 인권 및 기본적 자유의 보편적 존중과 준수

제 56 조

모든 회원국은 제55조에 규정된 목적의 달성을 위하여 기구와 협력하여 공동의 조치 및 개별적 조치를 취할 것을 약속한다.

제 57 조

1. 정부간 협정에 의하여 설치되고 경제.사회.문화.교육.보건분야 및 관련분야에 있어서 기본적 문서에 정한 대로 광범위한 국제적 책임을 지는 각종 전문기구는 제63조의 규정에 따라 국제연합과 제휴관계를 설정한다.

2. 이와 같이 국제연합과 제휴관계를 설정한 기구는 이하 전문기구라 한다.

제 58 조

기구는 전문기구의 정책과 활동을 조정하기 위하여 권고한다.

제 59 조

기구는 적절한 경우 제55조에 규정된 목적의 달성에 필요한 새로운
전문기구를 창설하기 위하여 관계국간의 교섭을 발의한다.

제 60 조

이 장에서 규정된 기구의 임무를 수행할 책임은 총회와 총회의 권위하에
경제사회이사회에 부과된다. 경제사회이사회는 이 목적을 위하여 제10장에
규정된 권한을 가진다.

제 10 장
경제사회이사회

구성

제 61 조

1. 경제사회이사회는 총회에 의하여 선출된 54개 국제연합회원국으로
구성된다.

2. 제3항의 규정에 따를 것을 조건으로, 경제사회이사회의 18개 이사국은
3년의 임기로 매년 선출된다. 퇴임이사국은 연이어 재선될 자격이 있다.

3. 경제사회이사회의 이사국이 27개국에서 54개국으로 증가된 후 최초의
선거에서는, 그 해 말에 임기가 종료되는 9개 이사국을 대신하여 선출되는
이사국에 더하여, 27개 이사국이 추가로 선출된다. 총회가 정한 약정에 따라,
이러한 추가의 27개 이사국중 그렇게 선출된 9개 이사국의 임기는 1년의 말에
종료되고, 다른 9개 이사국의 임기는 2년의 말에 종료된다.

4. 경제사회이사회의 각 이사국은 1인의 대표를 가진다.

21

0291

임무와 권한

제 62 조

1. 경제사회이사회는 경제·사회·문화·교육·보건 및 관련국제사항에
관한 연구 및 보고를 하거나 또는 발의할 수 있으며, 아울러 그러한 사항에
관하여 총회, 국제연합회원국 및 관계전문기구에 권고할 수 있다.

2. 이사회는 모든 사람을 위한 인권 및 기본적 자유의 존중과 준수를
촉진하기 위하여 권고할 수 있다.

3. 이사회는 그 권한에 속하는 사항에 관하여 총회에 제출하기 위한
협약안을 작성할 수 있다.

4. 이사회는 국제연합이 정한 규칙에 따라 그 권한에 속하는 사항에
관하여 국제회의를 소집할 수 있다.

제 63 조

1. 경제사회이사회는 제57조에 규정된 어떠한 기구와도, 동 기구가
국제연합과 제휴관계를 설정하는 조건을 규정하는 협정을 체결할 수 있다.
그러한 협정은 총회의 승인을 받아야 한다.

2. 이사회는 전문기구와의 협의, 전문기구에 대한 권고 및 총회와
국제연합회원국에 대한 권고를 통하여 전문기구의 활동을 조정할 수 있다.

제 64 조

1. 경제사회이사회는 전문기구로부터 정기보고를 받기 위한 적절한
조치를 취할 수 있다. 이사회는, 이사회의 권고와 이사회의 권한에 속하는
사항에 관한 총회의 권고를 실시하기 위하여 취하여진 조치에 관하여 보고를
받기 위하여, 국제연합회원국 및 전문기구와 약정을 체결할 수 있다.

22

0292

2. 이사회는 이러한 보고에 관한 의견을 총회에 통보할 수 있다.

제 65 조

경제사회이사회는 안전보장이사회에 정보를 제공할 수 있으며, 안전보장
이사회의 요청이 있을 때에는 이를 원조한다.

제 66 조

1. 경제사회이사회는 총회의 권고의 이행과 관련하여 그 권한에 속하는
임무를 수행한다.

2. 이사회는 국제연합회원국의 요청이 있을 때와 전문기구의 요청이
있을 때에는 총회의 승인을 얻어 용역을 제공할 수 있다.

3. 이사회는 이 헌장의 다른 곳에 규정되거나 총회에 의하여 이사회에
부과된 다른 임무를 수행한다.

표결

제 67 조

1. 경제사회이사회의 각 이사국은 1개의 투표권을 가진다.

2. 경제사회이사회의 결정은 출석하여 투표하는 이사국의 과반수에
의한다.

절차

제 68 조

경제사회이사회는 경제적 및 사회적 분야의 위원회, 인권의 신장을 위한
위원회 및 이사회의 임무수행에 필요한 다른 위원회를 설치한다.

제 69 조

경제사회이사회는 어떠한 국제연합회원국에 대하여도, 그 회원국과 특히 관계가 있는 사항에 관한 심의에 투표권없이 참가하도록 초청한다.

제 70 조

경제사회이사회는 전문기구의 대표가 이사회의 심의 및 이사회가 설치한 위원회의 심의에 투표권없이 참가하기 위한 약정과 이사회의 대표가 전문기구의 심의에 참가하기 위한 약정을 체결할 수 있다.

제 71 조

경제사회이사회는 그 권한내에 있는 사항과 관련이 있는 비정부간 기구와의 협의를 위하여 적절한 약정을 체결할 수 있다. 그러한 약정은 국제기구와 체결할 수 있으며 적절한 경우에는 관련 국제연합회원국과의 협의후에 국내 기구와도 체결할 수 있다.

제 72 조

1. 경제사회이사회는 의장선정방법을 포함한 그 자체의 의사규칙을 채택한다.

2. 경제사회이사회는 그 규칙에 따라 필요한 때에 회합하며, 동 규칙은 이사국 과반수의 요청에 의한 회의소집의 규정을 포함한다.

24

0294

제 11 장
비자치지역에 관한 선언

제 73 조

주민이 아직 완전한 자치를 행할 수 있는 상태에 이르지 못한 지역의
시정(施政)의 책임을 지거나 또는 그 책임을 맡는 국제연합회원국은, 그 지역
주민의 이익이 가장 중요하다는 원칙을 승인하고, 그 지역주민의 복지를 이 헌장에
의하여 확립된 국제평화와 안전의 체제안에서 최고도로 증진시킬 의무와 이를
위하여 다음을 행할 의무를 신성한 신탁으로서 수락한다.

가. 관계주민의 문화를 적절히 존중함과 아울러 그들의 정치적.경제적.
사회적 및 교육적 발전, 공정한 대우, 그리고 학대로부터의 보호를
확보하는 것.

나. 각지역 및 그 주민의 특수사정과 그들의 서로 다른 발전단계에 따라
자치를 발달시키고, 주민의 정치적 소망을 적절히 고려하며, 또한
주민의 자유로운 정치제도의 점진적 발달을 위하여 지원한다.

다. 국제평화와 안전을 증진한다.

라. 이 조에 규정된 사회적.경제적 및 과학적 목적을 실제적으로 달성하기
위하여 건설적인 발전조치를 촉진하고 연구를 장려하며 상호간 및
적절한 경우에는 전문적 국제단체와 협력한다.

마. 제12장과 제13장이 적용되는 지역외의 위의 회원국이 각각 책임을 지는
지역에서의 경제적.사회적 및 교육적 조건에 관한 기술적 성격의 통계
및 다른 정보를, 안전보장과 헌법상의 고려에 따라 필요한 제한을
조건으로 하여, 정보용으로 사무총장에 정기적으로 송부한다.

25

0295

제 74 조

국제연합회원국은 이 장이 적용되는 지역에 관한 정책이, 그 본국지역에
관한 정책과 마찬가지로 세계의 다른 지역의 이익과 복지가 적절히 고려되는
가운데에, 사회적.경제적 및 상업적 사항에 관하여 선린주의의 일반원칙에 기초
하여야 한다는 점에 또한 동의한다.

제 12 장
국제신탁통치제도

제 75 조

국제연합은 금후의 개별적 협정에 의하여 이 제도하에 두게될 수 있는
지역의 시정 및 감독을 위하여 그 권위하에 국제신탁통치제도를 확립한다.
이 지역은 이하 신탁통치 지역이라 한다.

제 76 조

신탁통치제도의 기본적 목적은 이 헌장 제1조에 규정된 국제연합의 목적에
따라 다음과 같다.

가. 국제평화와 안전을 증진한다.

나. 신탁통치지역 주민의 정치적.경제적.사회적 및 교육적 발전을 촉진
    하고, 각 지역 및 그 주민의 특수사정과 관계주민이 자유롭게 표명한
    소망에 적합하도록, 그리고 각 신탁통치협정의 조항이 규정하는 바에
    따라 자치 또는 독립을 향한 주민의 점진적 발달을 촉진한다.

다. 인종.성별.언어 또는 종교에 관한 차별없이 모든 사람을 위한
    인권과 기본적 자유에 대한 존중을 장려하고, 전세계 사람들의 상호
    의존의 인식을 장려한다.

26

0296

라. 위의 목적의 달성에 영향을 미치지아니하고 제80조의 규정에 따를 것을
조건으로, 모든 국제연합회원국 및 그 국민을 위하여 사회적·경제적 및
상업적 사항에 대한 평등한 대우 그리고 또한 그 국민을 위한 사법상의
평등한 대우를 확보하는 것.

제 77 조

1. 신탁통치제도는 신탁통치협정에 의하여 이 제도하에 두게될 수 있는
다음과 같은 범위의 지역에 적용된다.

　　가. 현재 위임통치하에 있는 지역

　　나. 제2차 세계대전의 결과로서 적국으로부터 분리될 수 있는 지역

　　다. 시정에 책임을 지는 국가가 자발적으로 그 제도하에 두는 지역

2. 위의 범주안의 어떠한 지역을 어떠한 조건으로 신탁통치제도하에
두게 될 것인가에 관하여는 금후의 협정에서 정한다.

제 78 조

국제연합회원국간의 관계는 주권평등원칙의 존중에 기초하므로 신탁
통치제도는 국제연합회원국이 된 지역에 대하여는 적용하지 아니한다.

제 79 조

신탁통치제도하에 두게 되는 각 지역에 관한 신탁통치의 조항은, 어떤
변경 또는 개정을 포함하여 직접 관계국에 의하여 합의되며, 제83조 및
제85조에 규정된 바에 따라 승인된다. 이 직접 관계국은 국제연합회원국의
위임통치하에 있는 지역의 경우, 수임국(受任國)을 포함한다.

27

제 80 조

1. 제77조, 제79조 및 제81조에 의하여 체결되고, 각 지역을 신탁통치 제도하에 두는 개별적인 신탁통치협정에서 합의되는 경우를 제외하고 그리고 그러한 협정이 체결될 때까지, 이 헌장의 어떠한 규정도 어느 국가 또는 국민의 어떠한 권리, 또는 국제연합회원국이 각기 당사국으로 되는 기존의 국제문서의 조항을 어떠한 방법으로도 변경하는 것으로 직접 또는 간접으로 해석되지 아니한다.

2. 제1항은 제77조에 규정한 바에 따라 위임통치지역 및 기타지역을 신탁통치제도하에 두기 위한 협정의 교섭 및 체결의 지체 또는 연기를 위한 근거를 부여하는 것으로 해석되지 아니한다.

제 81 조

신탁통치협정은 각 경우에 있어 신탁통치지역을 시정하는 조건을 포함하며, 신탁통치지역의 시정을 행할 당국을 지정한다. 그러한 당국은 이하 시정권자라 하며 1 또는 그 이상의 국가, 또는 기구 자체일 수 있다.

제 82 조

어떠한 신탁통치협정에 있어서도 제43조에 의하여 체결되는 특별협정을 해하지 아니하고 협정이 적용되는 신탁통치지역의 일부 또는 전부를 포함하는 1 또는 그 이상의 전략지역을 지정할 수 있다.

제 83 조

1. 전략지역에 관한 국제연합의 모든 임무는 신탁통치협정의 조항과 그 변경 또는 개정의 승인을 포함하여 안전보장이사회가 행한다.

2. 제76조에 규정된 기본목적은 각 전략지역의 주민에 적용된다.

3. 안전보장이사회는, 신탁통치협정의 규정에 따를 것을 조건으로 또한 안전보장에 대한 고려에 영향을 미치지 아니하고, 전략지역에서의 정치적. 경제적.사회적 및 교육적 사항에 관한 신탁통치제도하의 국제연합의 임무를 수행하기 위하여 신탁통치이사회의 원조를 이용한다.

제 84 조

신탁통치지역이 국제평화와 안전유지에 있어 그 역할을 하는 것을 보장하는 것이 시정권자의 의무이다. 이 목적을 위하여, 시정권자는 이점에 관하여 시정권자가 안전보장이사회에 대하여 부담하는 의무를 이행함에 있어서 또한 지역적 방위 및 신탁통치지역안에서의 법과 질서의 유지를 위하여 신탁통치지역의 의용군, 편의 및 원조를 이용할 수 있다.

제 85 조

1. 전략지역으로 지정되지 아니한 모든 지역에 대한 신탁통치협정과 관련하여 국제연합의 임무는, 신탁통치협정의 조항과 그 변경 또는 개정의 승인을 포함하여, 총회가 수행한다.

2. 총회의 권위하에 운영되는 신탁통치이사회는 이러한 임무의 수행에 있어 총회를 원조한다.

제 13 장
신탁통치이사회

구성

제 86 조

1. 신탁통치이사회는 다음의 국제연합회원국으로 구성한다.

29

0299

가.　신탁통치지역을 시정하는 회원국

나.　신탁통치지역을 시정하지 아니하나 제23조에 국명이 ~~연급~~ 규정된 회원국

다.　총회에 의하여 3년의 임기로 선출된 다른 회원국. 그 수는 신탁 통치이사회의 이사국의 총수를 신탁통치지역을 시정하는 국제연합 회원국과 시정하지 아니하는 회원국간에 균분하도록 확보하는 데 필요한 수로 한다.

2.　신탁통치이사회의 각 이사국은 이사회에서 자국을 대표하도록 특별한 자격을 가지는 1인을 지명한다.

임무와 권한

제 87 조

총회와, 그 권위하의 신탁통치이사회는 그 임무를 수행함에 있어 다음을 할 수 있다.

가.　시정권자가 제출하는 보고서를 심의하는 것

나.　청원의 수리 및 시정권자와 협의하여 이를 심사하는 것

다.　시정권자와 합의한 때에 각 신탁통치지역을 정기적으로 방문하는 것,

라.　신탁통치협정의 조항에 따라 이러한 조치 및 다른 조치를 취하는 것

제 88 조

신탁통치이사회는 각 신탁통치지역 주민의 정치적.경제적.사회적 및 교육적 발전에 관한 질문서를 작성하며, 또한 총회의 권한내에 있는 각 신탁 통치지역의 시정권자는 그러한 질문서에 기초하여 총회에 연례보고를 행한다.

표결

제 89 조

1.　신탁통치이사회의 각 이사국은 1개의 투표권을 가진다.

38

0300

2. 신탁통치이사회의 결정은 출석하여 투표하는 이사국의 과반수로 한다.

절차

제 90 조

1. 신탁통치이사회는 의장 선출방식을 포함한 그 자체의 의사규칙을 채택한다.

2. 신탁통치이사회는 그 규칙에 따라 필요한 경우 회합하며, 그 규칙은 이사국 과반수의 요청에 의한 회의의 소집에 관한 규정을 포함한다.

제 91 조

신탁통치이사회는 각 적절한 경우 경제사회이사회 그리고 전문기구가 각 관련된 사항에 관하여 전문기구의 원조를 이용한다.

제 14 장
국제사법재판소

제 92 조

국제사법재판소는 국제연합의 주요한 사법기관이다. 재판소는 부속된 규정에 따라 임무를 수행한다. 이 규정은 상설국제사법재판소 규정에 기초하며, 이 헌장의 불가분의 일부를 이룬다.

제 93 조

1. 모든 국제연합회원국은 국제사법재판소 규정의 당연 당사국이다.

2. 국제연합회원국이 아닌 국가는 안전보장이사회의 권고에 의하여 총회가 각 경우에 결정하는 조건으로 국제사법재판소 규정의 당사국이 될 수 있다.

31

0301

제 94 조

1. 국제연합의 각 회원국은 자국이 당사자가 되는 어떤 사건에 있어서도 국제사법재판소의 결정에 따를 것을 약속한다.

2. 사건의 당사자가 재판소가 내린 판결에 따라 자국이 부담하는 의무를 이행하지 아니하는 경우에는 타방의 당사자는 안전보장이사회에 제소할 수 있다. 안전보장이사회는 필요하다고 인정하는 경우 판결을 집행하기 위하여 권고하거나 취하여야 할 조치를 결정할 수 있다.

제 95 조

이 헌장의 어떠한 규정도 국제연합회원국이 그들간의 분쟁의 해결을 이미 존재하거나 장래에 체결될 협정에 의하여 다른 법원에 의뢰하는 것을 방해하지 아니한다.

제 96 조

1. 총회 또는 안전보장이사회는 어떠한 법적 문제에 관하여도 권고적 의견을 줄 것을 국제사법재판소에 요청할 수 있다.

2. 총회에 의하여 언제든지 그러한 권한이 부여될 수 있는 국제연합의 다른 기관 및 전문기구도 그 활동범위안에서 발생하는 법적문제에 관하여 재판소의 권고적 의견을 또한 요청할 수 있다.

제 15 장
사 무 국

제 97 조

사무국은 1인의 사무총장과 기구가 필요로 하는 직원으로 구성한다. 사무총장은 안전보장이사회의 권고로 총회가 임명한다. 그는 이 기구의 수석행정직원이다.

32

0302

제 98 조

　사무총장은 총회V안전보장이사회V경제사회이사회 및 신탁통치이사회의
모든 회의에 사무총장의 자격으로 활동하며, 이러한 기관에 의하여 그에게
위임된 다른 임무를 수행한다.　사무총장은 기구의 사업에 관하여 총회에
연례보고를 한다.

제 99 조

　사무총장은 국제평화와 안전의 유지를 위협한다고 그 자신이 인정하는
어떠한 사항에도 안전보장이사회의 주의를 환기할 수 있다.

제 100 조

　1.　사무총장과 직원은 그들의　임무수행에 있어서 어떠한 정부 또는
이 기구외의 어떠한 다른 당국으로부터도 지시를 구하거나 받지 아니한다.
사무총장과 직원은 이 기구에 대하여만 책임을 지는 국제공무원으로서의
지위를 손상할 우려가 있는 어떠한 행동도 삼가한다.

　2.　각 국제연합회원국은 사무총장 및 직원의 책임의 전적으로 국제적인
성격을 존중할 것과 그들의 책임수행에 있어서 그들에게 영향력을 행사하려
하지 아니할 것을 약속한다.

제 101 조

　1.　직원은 총회가 정한 규칙에 따라 사무총장에 의하여 임명된다.

　2.　경제사회이사회V신탁통치이사회V그리고 필요한 경우에는 국제연합의
다른 기관에 적절한 직원이 상임으로 배속된다.　이 직원은 사무국의 일부를
구성한다.

33

0303

3. 직원의 고용과 근무조건의 결정에 있어서 가장 중요한 고려사항은 최고수준의 능률, 능력 및 성실성을 확보할 필요성이다. 가능한 한 광범위한 지리적 기초에 근거하여 직원을 채용하는 것의 중요성에 관하여 적절히 고려한다.

제 16 장
잡 칙

제 102 조

1. 이 헌장이 발효한 후 국제연합회원국이 체결하는 모든 조약과 모든 국제협정은 가능한 한 신속히 사무국에 등록되고 사무국에 의하여 공표된다.

2. 제1항의 규정에 따라 등록되지 아니한 조약 또는 국제협정의 당사국은 국제연합의 어떠한 기관에 대하여도 그 조약 또는 협정을 원용할 수 없다.

제 103 조

국제연합회원국의 헌장상의 의무와 다른 국제협정상의 의무가 상충되는 경우에는 이 헌장상의 의무가 우선한다.

제 104 조

기구는 임무의 수행과 목적의 달성을 위하여 필요한 법적 능력을 각 회원국의 영역안에서 향유한다.

34

0304

제 105 조

1. 기구는 그 목적의 달성에 필요한 특권 및 면제를 각 회원국의
영역안에서 향유한다.

2. 국제연합회원국의 대표 및 기구의 직원은 기구와 관련된 그들의
임무를 독립적으로 수행하기 위하여 필요한 특권과 면제를 마찬가지로
향유한다.

3. 총회는 ~~어느~~ 제1항 및 제2항의 적용세칙을 결정하기 위하여
권고하거나 이 목적을 위하여 국제연합회원국에게 협약을 제안할 수 있다.

제 17 장
과도적 안전보장조치

제 106 조

안전보장이사회가 제42조 ~~상의~~ ^{의 규정에 의한} 책임의 수행을 개시할 수 있다고 인정하는
제43조에 규정된 특별협정이 발효할 때까지, 1943년 10월 30일에 모스크바에서
서명된 4개국 선언의 당사국 및 프랑스는 그 선언 제5항의 규정에 따라 국제
평화와 안전의 유지를 위하여 필요한 공동조치를 기구를 대신하여 취하기 위하여
상호간 및 필요한 경우 다른 국제연합회원국과 협의한다.

제 107 조

이 헌장의 어떠한 규정도 제2차 세계대전중 이 헌장 서명국의 적이었던
국가에 관한 조치로서, 그러한 조치에 대하여 책임을 지는 정부가 그 전쟁의
결과로서 취하였거나 허가한 것을 무효로 하거나 배제하지 아니한다.

제 18 장
개   정

제 108 조

이 헌장의 개정은 총회 구성국의 3분의 2의 투표에 의하여 채택되고,
안전보장이사회의 모든 상임이사국을 포함한 국제연합회원국의 3분의 2에
의하여 각자의 헌법상 절차에 따라 비준되었을 때, 모든 국제연합회원국에
대하여 발효한다.

제 109 조

1. 이 헌장을 재심의하기 위한 국제연합회원국 전체회의는 총회 구성국의
3분의 2의 투표와 안전보장이사회의 9개이사국의 투표에 의하여 결정되는 일자
및 장소에서 개최될 수 있다. 각 국제연합회원국은 이 회의에서 1개의 투표권을
가진다.

2. 이 회의의 3분의 2의 투표에 의하여 권고된 이 헌장의 어떠한 변경도,
안전보장이사회의 모든 상임이사국을 포함한 국제연합회원국의 3분의 2에
의하여 그들 각자의 헌법상 절차에 따라 비준되었을 때 발효한다.

3. 그러한 회의가 이 헌장의 발효후 총회의 제10차 연례회기까지 개최되지
아니하는 경우에는 그러한 회의를 소집하는 제안이 총회의 동 회기의 의제에
포함되어야 하며, 회의는 총회 구성국의 과반수의 투표와 안전보장이사회의
7개이사국의 투표에 의하여 결정되는 경우에 개최된다.

제 19 장
비 준 및 서 명

제 110 조

1. 이 헌장은 서명국에 의하여 그들 각자의 헌법상 절차에 따라 비준된다.

36   0306

2. 비준서는 미합중국 정부에 기탁되며, 동 정부는 모든 서명국과
기구의 사무총장이 임명된 경우에는 사무총장에게 각 기탁을 통고한다.

3. 이 헌장은 중화민국∨불란서∨소비에트사회주의공화국연방∨영국과
미합중국 및 다른 서명국의 과반수가 비준서를 기탁한 때에 발효한다. 비준서
기탁 의정서는 발효시 미합중국 정부가 작성하여 그 등본을 모든 서명국에
송부한다.

4. 이 헌장이 발효한 후에 이를 비준하는 이 헌장의 서명국은 각자의
비준서 기탁일에 국제연합의 원회원국이 된다.

<h3 style="text-align:center">제 111 조</h3>

중국어∨불어∨러시아어∨영어 및 스페인어본이 동등하게 정본인
이 헌장은 미합중국 정부의 문서보관소에 기탁된다. 이 헌장의 인증등본은
동 정부가 다른 서명국 정부에 송부한다.

이상의 증거로서 연합국 정부의 대표들은 이 헌장에 서명하였다.

일천구백사십오년 유월 이십육일 샌프란시스코시에서 작성하였다.

【註】 1973년 9월 24일 발효된 개정내용포함

국제사법재판소규정

제 1 조

국제연합의 주요한 사법기관으로서 국제연합헌장에 의하여 설립되는 국제사법재판소는 국제사법재판소규정의 규정에 따라 조직되며 임무를 수행한다.

제 1 장
국제사법재판소의 조직

제 2 조

국제사법재판소는 덕망이 높은 자로서 각국가에서 최고법관으로 임명되는데 필요한 자격을 가진 자 또는 국제법에 정통하다고 인정된 법률가중에서 국적에 관계없이 선출되는 독립적 재판관의 일단으로 구성된다.

제 3 조

1. 국제사법재판소는 15인의 재판관으로 구성된다. 다만, 2인 이상이 동일국의 국민이어서는 아니된다.

2. 국제사법재판소에서 재판관의 자격을 정함에 있어서 2이상의 국가의 국민으로 인정될 수 있는 자는 그가 통상적으로 시민적 및 정치적 권리를 행사하는 국가의 국민으로 본다.

제 4 조

1. 국제사법재판소의 재판관은 상설중재재판소의 국별재판관단이 지명한 자의 명부중에서 다음의 제규정에 따라 총회 및 안전보장이사회에 의하여 선출된다.

1

0308

2. 상설중재재판소에서 대표되지 아니하는 국제연합회원국의 경우에는,
재판관 후보자는 상설중재재판소 재판관에 관하여 국제분쟁의 평화적 해결을
위한 1907년 헤이그협약 제44조에 규정된 조건과 동일한 조건에 따라 각국
정부가 임명하는 국별재판관단에 의하여 지명된다.

3. 국제사법재판소규정의 당사국이지만 국제연합의 비회원국인 국가가
국제사법재판소의 재판관선거에 참가하는 조건은, 특별한 협정이 없는 경우에는,
안전보장이사회의 권고에 따라 총회에 의하여 정하여진다.

제 5 조

1. 적어도 선거일로부터 3개월전에 국제연합사무총장은, 국제사법재판소
규정의 당사국인 국가에 속하는 상설중재재판소 재판관 및 제4조 제2항에 의하여
임명되는 국별재판관단의 구성원에게, 국제사법재판소 재판관의 임무를 수락할
지위에 있는 자의 지명을 일정한 기간내에 각국별 재판관단마다 행할 것을
서면으로 요청한다.

2. 어떠한 국별재판관단도 4인을 초과하여 후보자를 지명할 수 없으며,
그중 3인 이상이 자국국적의 소유자이어서도 아니된다. 어떠한 경우에도 하나의
국별재판관단이 지명하는 후보자의 수는 충원할 재판관석 수의 2배를 초과
하여서는 아니된다.

제 6 조

이러한 지명을 하기 전에 각 국별재판관단은 자국의 최고법원·법과대학·
법률학교 및 법률연구에 종사하는 자국학술원 및 국제학술원의 자국지부와 협의
하도록 권고받는다.

2

0309

제 7 조

1. 사무총장은 이와 같이 지명된 모든 후보자의 명부를 알파벳순으로 작성한다. 제12조 제2항에 규정된 경우를 제외하고 이 후보자들만이 피선될 자격을 가진다.

2. 사무총장은 이 명부를 총회 및 안전보장이사회에 제출한다.

제 8 조

총회 및 안전보장이사회는 각각 독자적으로 국제사법재판소 재판관을 선출한다.

제 9 조

각선거에 있어서 선거인은 피선거인이 개인적으로 필요한 자격을 가져야 할 뿐만 아니라 전체적으로 재판관단이 세계의 주요문명형태 및 주요법체계를 대표하여야 함에 유념한다.

제 10 조

1. 총회 및 안전보장이사회에서 절대다수표를 얻은 후보자는 당선된 것으로 본다.

2. 안전보장이사회의 투표는, 재판관의 선거를 위한 것이든지 또는 제12조에 규정된 협의회 구성원의 임명을 위한 것이든지, 안전보장이사회의 상임이사국과 비상임이사국간에 차별없이 이루어진다.

3. 2인 이상의 동일국가 국민이 총회 및 안전보장이사회의 투표에서 모두 절대다수표를 얻은 경우에는 그중 최연장자만이 당선된 것으로 본다.

3

0310

제 11 조

선거를 위하여 개최된 제1차 회의후에도 충원되어야 할 1 또는 그 이상의
재판관석이 남는 경우에는 제2차 회의가, 또한 필요하다면 제3차 회의가 개최된다.
한 경우

제 12 조

1. 제3차 회의후에도 여전히 충원되지 아니한 1이상의 재판관석이 남는
경우에는, 3인은 총회가, 3인은 안전보장이사회가 임명하는 6명으로 구성되는
합동협의회가 각공석당 1인을 절대다수표로써 선정하여 총회 및 안전보장이사회가
각각 수락하도록 하기 위하여 총회 또는 안전보장이사회중 어느 일방의 요청에
의하여 언제든지 설치될 수 있다.

2. 소정의 조건을 충족한 자에 대하여 합동협의회가 전원일치로 동의한
요구되는
경우에는, 제7조에 규정된 지명명부중에 기재되지 아니한 자라도 협의회의
명부에 기재될 수 있다.

3. 합동협의회가 당선자를 확보할 수 없다고 인정하는 경우에는 이미 선출된
국제사법재판소의 재판관들은 총회 또는 안전보장이사회중 어느 일방에서라도
득표한 후보자중에서 안전보장이사회가 정하는 기간내에 선정하여 공석을 충원한다.

4. 재판관간의 투표가 동수인 경우에는 최연장재판관이 결정투표권을 가진다.

제 13 조

1. 국제사법재판소의 재판관은 9년의 임기로 선출되며 재선될 수 있다.
다만, 제1회 선거에서 선출된 재판관중 5인의 재판관의 임기는 3년후에 종료되며,
다른 5인의 재판관의 임기는 6년후에 종료된다.

4

0311

2. 제1항의 규정에 의한 최초의 3년 및 6년의 기간후에 임기가 종료되는 재판관은 제1회 선거가 완료된 직후 사무총장이 추첨으로 선정한다.

3. 국제사법재판소의 재판관은 후임자가 충원될 때까지 계속 직무를 수행한다. 충원후에도 재판관은 이미 착수한 사건을 완결한다.

4. 국제사법재판소의 재판관이 사임하는 경우 사표는 국제사법재판소장에게 제출되며, 사무총장에게 전달된다. 이러한 최후의 통고에 의하여 공석이 생긴다.

제 14 조

공석은 후단의 규정에 따를 것을 조건으로 하여 제1회 선거에 관하여 정한 방법과 동일한 방법으로 충원된다. 사무총장은 공석이 발생한 후 1개월이내에 제5조에 규정한 초청장을 발송하며, 선거일은 안전보장이사회가 정한다.

제 15 조

임기가 종료되지 아니한 재판관을 교체하기 위하여 선출된 국제사법재판소 재판관은 전임자의 잔임기간동안 재직한다.

제 16 조

1. 국제사법재판소의 재판관은 정치적 또는 행정적인 어떠한 임무도 수행 할 수 없으며, 또는 직업적 성질을 가지는 다른 어떠한 업무에도 종사할 수 없다.

2. 이 점에 관하여 의문이 있는 경우에는 국제사법재판소의 결정에 의하여 해결한다.

5

0312

제 17 조

1. 국제사법재판소의 재판관은 어떠한 사건에 있어서도 대리인 법률고문 또는 변호인으로서 행동할 수 없다.

2. 국제사법재판소의 재판관은 일방당사자의 대리인·법률고문 내지 변호인으로서, 국내재판소 또는 국제재판소의 재판관으로서, 조사위원회의 위원으로서, 또는 다른 어떠한 자격으로서, 이전에 그가 관여하였던 사건의 판결에 참여할 수 없다.

3. 이 점에 관하여 의문이 있는 경우에는 국제사법재판소의 결정에 의하여 해결한다.

제 18 조

1. 국제사법재판소의 재판관은, 다른 재판관들이 전원일치의 의견으로써 그가 소정의 조건을 충족하지 못하게 되었다고 인정하는 경우를 제외하고는, 해임되지 아니한다.

2. 해임의 정식통고는 재판소서기가 사무총장에게 한다.

3. 이러한 통고에 의하여 공석이 생긴다.

제 19 조

국제사법재판소의 재판관은 국제사법재판소의 업무에 종사하는 동안 외교특권 및 면제를 향유한다.

제 20 조

국제사법재판소의 재판관은 직무를 개시하기 전에 자기의 직권을 공평하고 양심적으로 행사할 것을 공개된 법정에서 엄숙히 선언한다.

6

0313

제 21 조

1. 국제사법재판소는 3년 임기로 재판소장 및 재판소부소장을 선출한다. 그들은 재선될 수 있다.

2. 국제사법재판소는 재판소서기를 임명하며 필요한 기타직원의 임명에 관하여 규정할 수 있다.

제 22 조

1. 국제사법재판소의 소재지는 헤이그로 한다. 다만, 국제사법재판소가 바람직하다고 인정하는 때에는 다른 장소에서 개정하여 그 임무를 수행할 수 있다.

2. 국제사법재판소장 및 국제사법재판소서기는 국제사법재판소의 소재지에 거주한다.

제 23 조

1. 국제사법재판소는 국제사법재판소가 휴가중인 경우를 제외하고는 항상 상시 개정하며, 휴가의 시기 및 기간은 국제사법재판소가 정한다.

2. 국제사법재판소의 재판관은 정기휴가의 권리를 가진다. 휴가의 시기 및 기간은 헤이그와 각재판관의 가정간의 거리를 고려하여 국제사법재판소가 정한다.

3. 국제사법재판소의 재판관은 휴가중에 있는 경우이거나 질병 또는 재판소장에 대하여 정당하게 해명할 수 있는 중대한 기타사유로 인하여 출석할 수 없는 경우를 제외하고는 상시 국제사법재판소의 명에 따라야 응하여야 할 의무를 진다.

7

제 24 조

1. 국제사법재판소의 재판관은 특별한 사유로 인하여 특정사건의 판결에
자신이 참여하여서는 아니된다고 인정하는 경우에는 재판소장에게 그 취지를
통보한다.

2. 국제사법재판소장은 국제사법재판소의 재판관중의 한 사람이 특별한
사유로 인하여 특정사건에 참여하여서는 아니된다고 인정하는 경우에는 그
재판관에게 그 취지를 통지한다.

3. 그러한 모든 경우에 있어서 국제사법재판소의 재판관과 재판소장의
의견이 일치하지 아니하는 때에는 그 문제는 국재사법재판소의 결정에 의하여
해결된다.

제 25 조

1. 국제사법재판소규정에 달리 명문의 규정이 있는 경우를 제외하고는
국제사법재판소는 전원이 출석하여 개정한다.

2. 국제사법재판소를 구성하기 위하여 응할 수 있는 재판관의 수가 11인
미만으로 감소되지 아니할 것을 조건으로 하여 국제사법재판소규칙은 상황에
따라서 또한 순번으로 1인 또는 2인 이상의 재판관의 출석을 면제할 수 있다는
취지를 규정할 수 있다.

3. 국제사법재판소를 구성하는데 충분한 재판관의 정족수는 9인으로 한다.

8

0315

제 26 조

1. 국제사법재판소는 특정한 부류의 사건, 예컨대 노동사건과 통과 및 통신에 관한 사건을 처리하기 위하여 국제사법재판소가 결정하는 바에 따라 3인 또는 그 이상의 재판관으로 구성되는 1 또는 그 이상의 소재판부를 수시로 설치할 수 있다.

2. 국제사법재판소는 특정사건을 처리하기 위한 소재판부를 언제든지 설치할 수 있다. 그러한 소재판부를 구성하는 재판관의 수는 당사자의 승인을 얻어 이 재판소에 의하여 결정된다.

3. 당사자가 요청하는 경우에는 이 조에서 규정된 소재판부가 사건을 심리하고 판결한다.

제 27 조

제26조 및 제29조에 규정된 소재판부가 선고한 판결은 국제사법재판소가 선고한 것으로 본다.

제 28 조

제26조 및 제29조에 규정된 소재판부는 당사자의 동의를 얻어 헤이그 외의 장소에서 개정하여, 그 임무를 수행할 수 있다.

제 29 조

업무의 신속한 처리를 위하여 국제사법재판소는, 당사자의 요청이 있는 경우 간이소송절차로 사건을 심리하고 결정할 수 있는, 5인의 재판관으로 구성되는 소재판부를 매년 설치한다. 또한 출석할 수 없는 재판관을 교체하기 위하여 2인의 재판관을 선정한다.

9

0316

제 30 조

1. 국제사법재판소는 그 임무를 수행하기 위하여 규칙을 정한다. 국제사법재판소는 특히 소송절차규칙을 정한다.

2. 국제사법재판소규칙은 국제사법재판소 또는 그 소재판부에 투표권없이 출석하는 보좌인에 관하여 규정할 수 있다.

제 31 조

1. 각당사자의 국적재판관은 국제사법재판소에 계속된 사건에 출석할 권리를 가진다.

2. 국제사법재판소가 그 재판관석에 당사자중 1국의 국적재판관을 포함시키는 경우에는 다른 어느 당사자도 재판관으로서 출석하는 자 1인을 선정할 수 있다. 다만, 그러한 자는 되도록이면 제4조 및 제5조에 규정에 의하여 후보자로 지명된 자중에서 선정된다.

3. 국제사법재판소가 그 재판관석에 당사자의 국적재판관을 포함시키지 아니한 경우에는 각당사자는 이 조 제2항에 규정된 바에 따라 재판관을 선정할 수 있다.

4. 이 조의 규정은 제26조 및 제29조의 경우에 적용된다. 그러한 경우에 국제사법재판소장은 소재판부를 구성하고 있는 재판관중 1인 또는 필요한 때에는 2인에 대하여, 관계당사자의 국적재판관에게 또한 그러한 국적재판관이 없거나 출석할 수 없는 때에는 당사자가 특별히 선정하는 재판관에게, 재판석을 양보할 것을 요청한다.

5. 동일한 이해관계를 가진 수개의 당사자가 있는 경우에, 그 수개의 당사자는 위 규정들의 목적상 단일당사자로 본다. 이 점에 관하여 의문이 있는 경우에는 국제사법재판소의 결정에 의하여 해결한다.

10

0317

6. 이 조 제2항 내지 제3항 제4항에 규정된 바에 따라 의 규정에 의하여 선정되는 재판관은 국제사법재판소규정의 제2조, 제17조(제2항), 제20조 및 제24조가 요구하는 조건을 충족하여야 한다. 그러한 재판관은 자기의 동료와 완전히 평등한 조건으로 결정에 참여한다.

제 32 조

1. 국제사법재판소의 각재판관은 연봉을 받는다.

2. 국제사법재판소장은 특별년차수당을 받는다.

3. 국제사법재판소부소장은 재판소장으로서 활동하는 각일에 모든 날자에 대하여 특별 수당을 받는다.

4. 제31조에 의하여 의 규정 선정된 재판관으로서 국제사법재판소의 재판관이 아닌 자는 자기의 임무를 수행하는 각일에 각 날자에 대하여 보상을 받는다.

5. 이러한 봉급V수당 및 보상은 총회에 의하여 정하여지며 임기중 감액될 수 없다.

6. 국제사법재판소서기의 봉급은 국제사법재판소의 제의에 의하여 총회가 이를 정한다.

7. 국제사법재판소의 재판관 및 서기에 대하여 퇴직연금이 지급되는 조건과 국제사법재판소의 재판관 및 서기가 그 여비를 상환받는 조건은 총회가 제정하는 규칙에서 정하여진다.

8. 위의 봉급V수당 및 보상은 모든 과세로부터 면제된다.

제 33 조

국제사법재판소의 경비는 총회가 정하는 방식에 따라 국제연합이 이를 부담한다.

11

0318

제 2 장
국제사법재판소의 관할

제 34 조

1. 국가만이 국제사법재판소에 계속되는 사건의 당사자가 될 수 있다.

2. 국제사법재판소는 국제사법재판소규칙이 정하는 조건에 따라 공공
국제기구에게 국제사법재판소에 계속된 사건과 관련된 정보를 요청할 수 있으며,
또한 그 국제기구가 자발적으로 제공하는 정보를 수령한다.

3. 공공 국제기구의 설립문서 또는 그 문서에 의하여 채택된 국제협약의
해석이 국제사법재판소에 계속된 사건에서 문제로 된 때에는 국제사법재판소서기는
당해 공공 국제기구에 그 취지를 통고하며, 이 소송절차에서의 모든 서류의 사본을
송부한다.

제 35 조

1. 국제사법재판소는 국제사법재판소규정의 당사국에 대하여 개방된다.

2. 국제사법재판소를 기타 국가에 대하여 개방하기 위한 조건은 현행
조약들의 특별한 규정에 따를 것을 조건으로 하여 안전보장이사회가 이를 정한다.
다만, 어떠한 경우에도 그러한 조건은 당사자들을 국제사법재판소에 있어서 불평등한
지위에 두게 하는 것이어서는 아니된다.

3. 국제연합의 회원국이 아닌 국가가 사건의 당사자인 경우에는 국제사법
재판소는 그 당사자가 국제사법재판소의 비용에 대하여 부담할 금액을 정한다.
이 규정은 그러한 국가가 국제사법재판소의 비용을 분담하고 있는 경우에는
적용되지 아니한다.

12

0319

제 36 조

1. 국제사법재판소의 관할은 당사자가 국제사법재판소에 회부하는 모든 사건과 국제연합헌장 또는 현행의 제조약 및 협약에서 특별히 규정된 모든 사항에 미친다.

2. 국제사법재판소규정의 당사국은 다음 사항에 관한 모든 법률적 분쟁에 대하여 국제사법재판소의 관할을, 동일한 의무를 수락하는 모든 다른 국가와의 관계에 있어서 당연히 또한 특별한 합의없이도, 강제적인 것으로 인정한다는 것을 언제든지 선언할 수 있다.

   가. 조약의 해석

   나. 국제법상의 모든 문제

   다. 확인되는 경우 국제의무의 위반에 해당하는 어떠한 사실의 존재

   라. 국제의무의 위반에 대하여 이루어지는 배상의 성질 또는 범위

3. 위에 규정된 선언은 무조건으로, 수개국가 또는 일정국가와의 상호주의의 조건으로, 또는 일정한 기간을 정하여 할 수 있다.

4. 그러한 선언서는 국제연합사무총장에게 기탁되며, 사무총장은 그 사본을 국제사법재판소규정의 당사국과 국제사법재판소서기에게 송부한다.

5. 상설국제사법재판소규정 제36조에 의하여 이루어진 선언으로서 효력을 가지는 것은, 국제사법재판소규정의 당사국사이에서는, 이 선언이 금후 존속하는 기간동안 그리고 이 선언의 조건에 따라 국제사법재판소의 강제적 관할을 수락한 것으로 본다.

6. 국제사법재판소가 관할권을 가지는지의 여부에 관하여 분쟁이 있는 경우에는, 그 문제는 국제사법재판소의 결정에 의하여 해결된다.

13

제 37 조

현행의 조약 또는 협약이 국제연맹이 설치한 재판소 또는 상설국제사법
재판소에 어떤 사항을 회부하는 것을 규정하고 있는 경우에 그 사항은 국제사법
재판소규정의 당사국사이에서는 국제사법재판소에 회부된다.

제 38 조

1. 국제사법재판소는 국제사법재판소에 회부된 분쟁을 국제법에 따라 재판하는
것을 임무로 하며, 다음을 적용한다.

　　　가. 분쟁국에 의하여 명백히 인정된 규칙을 확립하고 있는 일반적인 또는
　　　　　특별한 국제협약

　　　나. 법으로 수락된 일반관행의 증거로서의 국제관습

　　　다. 문명국에 의하여 인정된 법의 일반원칙

　　　라. 법칙결정의 보조수단으로서의 사법판결 및 제국의 가장 우수한 국제법
　　　　　학자의 학설. 다만, 제59조의 규정에 따를 것을 조건으로 한다.

2. 이 규정은 당사자가 합의하는 경우에 국제사법재판소가 형평과 선에
따라 재판하는 권한을 해하지 아니한다.

제 3 장
소송절차

제 39 조

1. 국제사법재판소의 공용어는 불어 및 영어로 한다. 당사자가 사건을
불어로 심리하는 것에 동의하는 경우 판결은 불어로 한다. 당사자가 사건을
영어로 심리하는 것에 동의하는 경우 판결은 영어로 한다.

14

0321

2. 어떤 공용어를 사용할 것인지에 대한 합의가 없는 경우에 각당사자는, 자국이 선택하는 공용어를 변론절차에서 사용할 수 있으며, 국제사법재판소의 판결은 불어 및 영어로 한다. 이러한 경우에 국제사법재판소는 두개의 본문중 어느 것을 정문으로 할 것인가를 아울러 결정한다.

3. 국제사법재판소는 당사자의 요청이 있는 경우 그 당사자가 불어 또는 영어 이외의 언어를 사용하도록 허가한다.

제 40 조

1. 국제사법재판소에 대한 사건의 제기는 각경우에 따라 재판소서기에게 하는 특별한 합의의 통고에 의하여 또는 서면신청에 의하여 이루어진다. 어느 경우에도 분쟁의 주제 및 당사자가 표시된다.

2. 국제사법재판소서기는 즉시 그 신청을 모든 이해관계자에게 통보한다.

3. 국제사법재판소서기는 사무총장을 통하여 국제연합회원국에게도 통고하며, 또한 국제사법재판소에서의 재판에 참가할 수 있는 어떠한 다른 국가에게도 통고한다.

제 41 조

1. 국제사법재판소는 사정에 의하여 필요하다고 인정하는 때에는 각당사자의 각각의 권리를 보호하기 위하여 취하여져야 할 잠정조치를 제시할 권한을 가진다.

2. 종국판결이 있을 때까지, 제시되는 조치는 즉시 당사자 및 안전보장 이사회에 통지된다.

15

0322

제 42 조

1. 당사자는 대리인에 의하여 대표된다.

2. 당사자는 국제사법재판소에서 법률고문 또는 변호인의 조력을 받을
수 있다.

3. 국제사법재판소에서 당사자의 대리인·법률고문 및 변호인은 자기
직무를 독립적으로 수행하는데 필요한 특권 및 면제를 향유한다.

제 43 조

1. 소송절차는 서면소송절차 및 구두소송절차의 두부분으로 구성된다.

2. 서면소송절차는 준비서면·답변서 및 필요한 경우에는 항변서와 원용할
수 있는 모든 문서 및 서류를 국제사법재판소와 당사자에게 송부하는 것으로
이루어진다.

3. 이러한 송부는 국제사법재판소가 정하는 순서에 따라 국제사법재판소가
정하는 기간내에 국제사법재판소서기를 통하여 이루어진다.

4. 일방당사자가 제출한 모든 서류의 인증사본 1통은 타방당사자에게
송부된다.

5. 구두소송절차는 국제사법재판소가 증인·감정인·대리인·법률고문 및
변호인에 대하여 심문하는 것으로 이루어진다.

제 44 조

1. 국제사법재판소는, 대리인·법률고문 및 변호인외의 자에 대한 모든
통지의 송달을, 그 통지가 송달될 지역이 속하는 국가의 정부에게 직접 한다.

16

0323

2. 위의 규정은 현장에서 증거를 수집하기 위한 조치를 취하여야 할 모든 경우에 적용된다.

제 45 조

심리는 국제사법재판소장 또는 국제사법재판소장이 주재할 수 없는 경우에는 국제사법재판소부소장의 지휘하에 둔다. 그들 모두가 주재할 수 없을 때에는 출석한 선임재판관이 주재한다.

제 46 조

국제사법재판소에서의 심리는 공개된다. 다만, 국제사법재판소가 달리 정하는 경우 또는 당사자들이 공개하지 아니할 것을 요구하는 경우에는 그러하지 아니하다.

제 47 조

1. 매 심리마다 조서를 작성하고 국제사법재판소의 서기 및 재판소장이 서명한다.

2. 이 조서만을 정본으로 한다.

제 48 조

국제사법재판소는 사건을 진행을 위한 명령을 발하고, 각당사자가 각각의 진술을 종결하여야 할 방식 및 시기를 정하며, 증거조사에 관련되는 모든 조치를 취한다.

17

0324

제 49 조

국제사법재판소는 심리의 개시전에도 서류를 제출하거나 설명을 할 것을 대리인에게 요청할 수 있다. 거절이 있는 경우에는 정식으로 이를 기록하여 둔다.

제 50 조

국제사법재판소는 국제사법재판소가 선택하는 개인∨단체∨관공서∨위원회 또는 다른 조직에게 조사의 수행 또는 감정의견의 재출을 언제든지 위탁할 수 있다.

제 51 조

심리중에는, 제30조에 규정된 소송절차규칙에서 국제사법재판소가 정한 조건에 따라 증인 및 감정인에게 관련된 모든 질문을 한다.

제 52 조

국제사법재판소는 국제사법재판소가 정한 기간내에 증거 및 증언을 수령한 후에는, 타방당사자가 동의하지 아니하는 한, 일방당사자가 제출하고자 하는 어떠한 새로운 인증 또는 서증도 그 수리를 거부할 수 있다.

제 53 조

1. 일방당사자가 국제사법재판소에 출석하지 아니하거나 또는 그 사건을 방어하지 아니하는 때는 타방당사자는 자기의 청구에 유리하게 판결할 것을 국제사법재판소에 요청할 수 있다.

18

2. 국제사법재판소는 그렇게 결정하기 전에 국제사법재판소가 제36조 및
제37조에 따라 판할권을 가지고 있을 뿐만 아니라 그 청구가 사실 및 법에
충분히 근거하고 있음을 확인하여야 한다.

제 54 조

1. 국제사법재판소의 지휘에 따라 대리인ᐯ법률고문 및 변호인이 사건에
관한 진술을 완료한 때에는 국제사법재판소장은 심리가 종결되었음을 선언한다.

2. 국제사법재판소는 판결을 심의하기 위하여 퇴정한다.

3. 국제사법재판소의 평의는 비공개로 이루어지며 비밀로 한다.

제 55 조

1. 모든 문제는 출석한 재판관의 과반수로 결정된다.

2. 가부동수인 경우에는 국제사법재판소장 또는 국제사법재판소장을
대리하는 재판관이 결정투표권을 가진다.

제 56 조

1. 판결에는 판결이 기초하고 있는 이유를 기재한다.

2. 판결에는 판결에 참여한 재판관의 성명이 포함된다.

제 57 조

판결이 전부 또는 부분적으로 재판관 전원일치의 의견을 표명하지 아니한
때에는 어떠한 재판관도 개별의견을 제시할 권리를 가진다.

19

0326

제 58 조

판결에는 국제사법재판소장 및 국제사법재판소서기가 서명한다. 판결은 대리인에게 적절히 통지된 후 공개된 법정에서 낭독된다.

제 59 조

국제사법재판소의 판결은 당사자사이와 그 특정사건에 관하여서만 구속력을 가진다.

제 60 조

판결은 종국적이며 상소할 수 없다. 판결의 의미 또는 범위에 관하여 분쟁이 있는 경우에는 국제사법재판소는 당사자의 요청에 의하여 이를 해석한다.

제 61 조

1. 판결의 재심청구는 국제사법재판소 및 재심을 청구하는 당사자가 판결이 선고되었을 당시에는 알지 못하였던 결정적 요소로 될 성질을 가진 어떤 사실의 발견에 근거하는 때에 한하여 할수 있다. 다만, 그러한 사실을 알지 못한 것이 과실에 의한 것이 아니었어야 한다.

2. 재심의 소송절차는 새로운 사실이 존재함을 명기하고, 그 새로운 사실이 사건을 재심할 성질의 것임을 인정하고, 또한 재심청구가 이러한 이유로 허용될 수 있음을 선언하고 있는 국제사법재판소의 판결에 의하여 개시된다.

3. 국제사법재판소는 재심의 소송절차를 허가하기 전에 원판결의 내용을 먼저 준수하도록 요청할 수 있다.

20

0327

4. 재심청구는 새로운 사실을 발견한 때부터 늦어도 6개월 이내에 이루어져야 한다.

5. 판결일부터 10년이 ~~경과된~~ ^{지난} 후에는 재심신청을 할 수 없다.

제 62 조

1. 사건의 판결에 의하여 영향을 받을 수 있는 법률적 성질의 이해관계가 있다고 인정하는 국가는 국제사법재판소에 그 소송에 참가하는 것을 허락하여 주도록 요청할 수 있다.

2. 국제사법재판소는 이 요청에 대하여 결정을 한다.

제 63 조

1. 사건에 관련된 국가 이외의 다른 국가가 당사국으로 있는 협약의 해석이 문제가 된 경우에는 국제사법재판소서기는 즉시 그러한 모든 국가에게 통고한다.

2. ~~노광개~~ 통고를 받은 모든 국가는 그 소송절차에 참가할 권리를 가진다. 다만, 이 권리를 행사한 경우에는 판결에 의하여 부여된 해석은 그 국가에 대하여 동일한 구속력을 가진다.

제 64 조

국제사법재판소가 달리 결정을 하지 아니하는 한 각당사자는 각자의 비용을 부담한다.

21

0328

제 4 장
권고적 의견

제 65 조

1. 국제사법재판소는 국제연합헌장에 의하여 또는 이 헌장에 따라 권고적 의견을 요청하는 것을 허가받은 기관이 그러한 요청을 하는 경우에 어떠한 법률 문제에 관하여도 권고적 의견을 부여할 수 있다.

2. 국제사법재판소의 권고적 의견을 구하는 문제는 그 의견을 구하는 문제에 대하여 정확하게 기술하고 있는 요청서에 의하여 국제사법재판소에 제기된다. 이 요청서에는 그 문제를 명확하게 할 수 있는 모든 서류를 첨부한다.

제 66 조

1. 국제사법재판소서기는 권고적 의견의 요청을 국제사법재판소에 출석할 자격이 있는 모든 국가에게 즉시 통지한다.

2. 국제사법재판소서기는 또한, 국제사법재판소에 출석할 자격이 있는 모든 국가에게, 또는 그 문제에 관한 정보를 제공할 수 있다고 국제사법재판소 또는 국제사법재판소가 개정중이 아닌 때에는 국제사법재판소장이 인정하는 국제 기구에게, 국제사법재판소장이 정하는 기간내에, 국제사법재판소가 그 문제에 관한 진술서를 수령하거나 또는 그 목적을 위하여 열리는 공개법정에서 그 문제에 관한 구두진술을 청취할 준비가 되어 있음을 특별하고도 직접적인 통신수단에 의하여 통고한다.

3. 국제사법재판소에 출석할 자격이 있는 그러한 어떠한 국가도 이 조 제2항에 규정된 특별통지를 받지 아니하였을 때에는 진술서를 제출하거나 또는 구두진술을 하기를 희망한다는 것을 표명할 수 있다. 국제사법재판소는 이에 관한 결정을 한다.

22

0329

4. 진술서 또는 구두진술을 제출하였거나 또는 양자를 제출한 국가 및 기구는 국제사법재판소 또는 국제사법재판소가 개정중이 아닌 때에는 국제사법재판소장이 각 특정사건에 있어서 정하는 형식, 범위 및 기간내에 다른 국가 또는 기구가 한 진술에 관하여 의견을 개진하는 것이 허용된다. 따라서 국제사법재판소서기는 그러한 진술서를 이와 유사한 진술서를 제출한 국가 및 기구에게 적절한 기간내에 송부한다.

제 67 조

국제사법재판소는 사무총장 및 직접 관계가 있는 국제연합회원국, 다른 국가 및 국제기구의 대표에게 통지한 후 공개된 법정에서 그 권고적 의견을 발표한다.

제 68 조

권고적 임무를 수행함에 있어서 국제사법재판소는 또한 국제사법재판소가 적용할 수 있다고 인정하는 범위 안에서 쟁송사건에 적용되는 국제사법재판소규정의 규정들에 따른다.

제 5 장
개 정

제 69 조

국제사법재판소규정의 개정은 국제연합헌장이 그 헌장의 개정에 관하여 규정한 절차와 동일한 절차에 의하여 이루어진다. 다만, 국제사법재판소규정의 당사국이 면서 국제연합회원국이 아닌 국가의 참가에 관하여는 안전보장이사회의 권고에 의하여 총회가 채택한 규정에 따른다.

23

0330

제 70 조

국제사법재판소는 제69조의 규정에 의한 심의를 위하여 필요하다고 인정하는 국제사법재판소규정의 개정을 사무총장에 대한 서면통보로써 제안할 권한을 가진다.

24

발 신 전 보

	분류번호	보존기간

번 호 : WUN-1681   910612 1742 FN   종별 :

수 신 : 주 유 엔   대사. 총영사

발 신 : 장 관 (조약)

제 목 : 조약의 유엔사무국등록에 관한 규칙

유엔헌장수락 국내절차 업무에 필요하니 유엔헌장 제102조(회원국 체결조약의 사무국 등록)와 관련하여 유엔총회에서 채택된 조약 및 국제협정의 등록에 관한 규칙(Regulations/개정내용포함)을 조속 입수, FAX 편 송부바람.

(국제기구조약국장 문동석)

0332

발 신 전 보

	분류번호	보존기간

번 호 : **WUN-1697**   910613 1658   FN   종별 : _____

수 신 : 주유엔   대사. 총영사

발 신 : 장 관 (조약)

제 목 : 조약의 유엔사무국등록에 관한 규칙

연 : WUN-1681

연호 조약 및 국제협정의 등록에 관한 규칙은 다음의 유엔총회결의에
의하여 채택(또는 개정)되었으니 하기 결의내용 송부 바람.

       o   46.12.14.자   97(I)호

       o   49.12.1.자   364B(IV)호

       o   50.12.12.자   482(V)호

(국제기구조약국장 문동석)

		기안자 성 명		과 장	심의관	국 장		차 관	장 관	
앙 고 재	91 년 6 월 13 일	조 약 과	민경호		ε	.	전결			

보 안
통 제   ε

외신과통제

0333

유엔가입시 아국이 부담해야 하는 의무

o 유엔은 국제평화와 안전의 유지를 그 주요임무로하여 활동하고 있음.
   따라서 유엔 회원국은 기본적으로 <u>무력 불사용의 원칙을 수락</u> 하고,
   <u>분쟁의 평화적 해결의무</u> 를 지며, 나아가 유엔이 <u>국제평화와 안전의</u>
   <u>유지.회복 및 사태의 악화방지를 위하여 취하는 제반 조치에 협력할</u>
   <u>의무를</u> 지개됨.

   - 실제 침략행위 또는 평화 파괴행위 발발시 유엔이 취하는 군사적
     조치에 참여하는 데에는 국회의 사전동의를 요함.
   - 다만, 동 군사적 조치에 관한 유엔의 권고는 강제적 성격을 띄고
     있지 않으므로 참여하지 않더라도 헌장 위반행위는 아님.

o 또한 우리는 유엔에 가입함으로써 유엔 운영경비에 대한 <u>일정비율의</u>
   <u>회원국 분담금을 납부</u> 해야 함.

   - 유엔예산에 대한 우리나라의 분담금율은 금추 유엔총회에서 확정될
     예정이나, 일단 92-94년(3년간)은 0.24%가 될 것으로 전망되고 있음.
   - 92년도의 경우 약 420만불의 의무분담금을 유엔 및 ILO(50만불)에
     납부해야 할것으로 추산됨.

o 한편, 유엔에 가입하면 헌장규정에 따라 아국이 당사국인 <u>조약.협정을</u>
   <u>유엔사무국에 등록</u> 하여야 함.

앙 고 재	년 월 일	담 당	과 장	국 장
91 8 13				

0334

o 그리고 우리는 유엔에 가입함으로써 자동적으로 국제사법재판소의 규정
   당사국이 되며, 또한 ILO 헌장의 수락을 통보함으로써 ILO에 회원국으로
   가입하게 됨.

o 국제사법재판소 규정당사국은 동규정 제36조 2항(선택조항)의 수락을
   통하여 국제사법재판소의 강제관할권을 인정할 수 있게 되는 바,
   동 선택조항의 수락여부, 수락시기 및 유보내용은 각국의 재량사항임.
   국제사법재판소의 선택조항 수락문제와 ILO 가입문제에 관하여는 유엔
   가입이후 면밀히 검토할 예정이며, 국무회의와 국회동의를 거쳐 동문제를
   처리해 나가고자 함.

국 제 연 합 헌 장
수 락 동 의 안

제안부서: 정　부

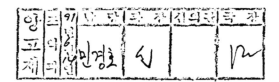

0336

1. 提案理由

   國際平和와 安全의 維持, 國家間의 友好關係의 發展 및 모든 分野에서의
   國際的 協力의 達成을 그 주요목적으로 하는 國際共同體의 中心機構인
   國際聯合에 加入함에 있어, 國際聯合憲章은 新會員國 加入要件의 하나로
   그 憲章을 受諾할 것을 規定하고 있으므로 이 憲章상 規定된 義務를 受諾
   하고자 함. 國際聯合加入을 통하여 우리나라는 國際社會의 責任있는 成員
   으로서의 正當한 役割과 義務를 다하고자 하며 國際聯合의 目的과 原則을
   尊重하는 가운데 모든 分野에서의 交流와 協力關係를 增進시키고 이를
   토대로 韓半島를 包含한 東北亞地域과 나아가 世界의 平和와 繁榮에
   이바지하고자 함.

2. 主要骨子(憲章: 前文 및 本文 111個條로 構成, 國際司法裁判所 規程:
   70個條로 構成)

   가. 國際聯合憲章

   (1) 國際聯合은 國際平和와 安全의 維持, 各國間 友好關係의 促進,
       人權 및 基本的 自由의 尊重, 國際的 協力 및 國家間 活動을
       調和시키는 中心으로서의 役割을 그 目的으로 함.(前文 및 第1條)

   (2) 國際聯合은 主權平等, 會員國의 憲章上 義務의 誠實한 履行,
       國際紛爭의 平和的 解決, 領土保全 또는 政治的 獨立의 尊重
       및 武力 不使用, 國際聯合措置에 對한 會員國의 援助 및 措置
       對象國에 대한 援助삼가義務, 國內管轄權 事項에 대한 不干涉등을
       그 行動原則으로 함. (第2條)

   (3) 國際聯合은 原會員國(51個國) 및 新會員國으로 構成되며,
       新會員國의 경우 憲章상 義務의 受諾, 憲章상 義務의 遵守意思와

0337

能力의 保有 및 平和愛好國일 것을 그 加入要件으로 規定하고,
그 加入承認은 安全保障理事會의 勸告에 따라 總會가 決定함.
(第3條-第6條)

(4) 國際聯合은 주요機關으로 總會, 安全保障理事會, 經濟社會理事會,
信託統治理事會, 國際司法裁判所 및 事務局을 設置함. (第7條-
第32條, 第61條-第72條, 第86조-第101條)

(5) 國際平和와 安全을 維持하기 위한 目的을 達成하기 위하여 國際的
紛爭의 平和的 解決原則 및 節次를 規定함. (第33條-第38條)

(6) 平和에 대한 威脅, 平和의 破壞 및 侵略行爲등이 發生한 경우
國際聯合은 이를 防止 또는 鎭壓하기 위한 措置를 取함.
(가) 安全保障理事會는 上記 事態의 有無와 必要措置를 決定함.
(第39條)

(나) 安全保障理事會는 勸告 또는 措置를 決定하기 전에 關係
當事國에 대하여 必要한 暫定措置를 要請할 수 있음.
(第40條)

(다) 安全保障理事會는 그 決定을 執行하기 위하여 經濟關係의
中斷 및 外交關係의 斷切등을 包含하는 非軍事的 措置를
취할 수 있음. (第41條)

(라) 安全保障理事會는 非軍事的 措置가 不充分한 것으로 認定할
경우, 示威, 封鎖등 軍事作戰을 포함하는 軍事的 措置를 取할
수 있음. (第42條)

(마) 會員國은 安全保障理事會의 要請 또는 安全保障理事會와
會員國間의 特別協定에 의거하여, 兵力, 援助 및 通過權을
包含한 便宜를 安全保障理事會에 利用하게 할 義務를 짐.
(第43條)

0338

(바) 會員國은 武力攻擊이 發生한 경우, 安全保障理事會가 必要한 措置를 취할 때까지, 個別的 또는 集團的 自衛權을 行使할 수 있음. (第51條)

(사) 地域的 措置에 適合한 事項을 處理하기 위하여 地域的 約定을 맺고 地域的 機關을 構成하므로써 紛爭의 平和的 解決을 圖謀함. (第52條-第54條)

(7) 國際聯合은 經濟, 社會分野등에서의 國際的 問題의 解決, 人權 및 自由의 尊重 그리고 生活水準의 向上 및 完全雇傭등을 促進함으로써 安定과 福祉를 達成하고 이를 통하여 그 주요目的의 하나인 國際的 協力을 圖謀하도록 함. (第55條-第60條)

(8) 住民이 完全한 自治를 행할 수 없는 地域을 위하여 國際信託統治制度를 樹立함. (第73條-第85條)

(9) 國際司法裁判所規程은 憲章의 不可分의 一部를 構成하며, 會員國은 同 規程의 當然當事國으로 同 裁判所의 決定을 遵守할 義務를 짐. (第92條-第96條)

(10) 會員國은 모든 條約과 國際協定을 事務局에 登錄함. (第102條)

(11) 憲章상의 義務와 他 國際協定상의 義務가 相衝하는 경우 憲章상 義務가 優先함. (第103條)

나. 國際司法裁判所規程

(1) 國際司法裁判所는 國際聯合의 주요한 司法機關임. (第1條)

(2) 裁判所는 9年 任期의 15人의 獨立的 裁判官團으로 構成됨. (第2條-第33條)

0339

(3) 國家만이 訴訟의 當事者가 될 수 있음. (第34條)

(4) 裁判所는 當事國이 回附한 모든 事件 또는 條約이나 協定에 規定된
모든 事項에 管轄權을 가지며, 또한 裁判所는 同 規程 第36條
第2項을 受諾한 當事國間에 强制管轄權을 가짐. (第34條-第37條)

(5) 國際協約, 國際慣習, 法의 一般原則, 司法判決 및 學說, 當事者가
合意하는 경우 衡平과 善을 裁判所의 裁判準則으로 함. (第38條)

(6) 裁判所의 判決은 最終的이며, 一定한 경우에 한하여 再審이
許容됨. (第39條-第64條)

(7) 國際聯合憲章에 의하여 許可된 機關이 要請할 경우, 裁判所는
法律問題에 관하여 勸告的 意見을 提示함. (第65條-第68條)

3. 參考事項

　가. 豫算措置: 國際聯合加入에 따라 所定의 分擔金을 負擔하여야 함.

　나. 關係部處 合議: 經濟企劃院, 統一院, 法務部, 國防部등 關係部處와
　　　　　　　　　　合議하였음.

　다. 其他

　　(1) 採擇 및 改正

　　　　ㅇ 1945. 6.26. 샌프란시스코에서 採擇

　　　　ㅇ 1965. 8.31. 第1次 改正 發效

　　　　ㅇ 1968. 6.12. 第2次 改正 發效

　　　　ㅇ 1973. 9.24. 第3次 改正 發效

　　　　ㅇ 現 當事國: 159個國

　　(2) 國際聯合憲章 및 國際司法裁判所規程(國文飜譯文 및
　　　　英文本): 別添

0340

외교문서 비밀해제: 남북한 유엔 가입 6
남북한 유엔 가입 국내 절차 진행 1

초판인쇄 2024년 03월 15일
초판발행 2024년 03월 15일

지은이 한국학술정보(주)
펴낸이 채종준
펴낸곳 한국학술정보(주)
주 소 경기도 파주시 회동길 230(문발동)
전 화 031-908-3181(대표)
팩 스 031-908-3189
홈페이지 http://ebook.kstudy.com
E-mail 출판사업부 publish@kstudy.com
등 록 제일산-115호(2000. 6. 19)

ISBN   979-11-6983-949-5 94340
        979-11-6983-945-7 94340 (set)